Ⓢ新潮新書

養老孟司
YORO Takeshi

「自分」の壁

576

新潮社

まえがき

この本のテーマは、最近考えていること、といってもいいと思います。最初の主題はいわゆる「自分」という問題です。残りはなんとなくそれにも絡んだ、さまざまな話題です。

この「自分」という話題は、以前から考えていました。変に聞こえるかもしれませんが、幼稚園のころからです。

自分とはなんだとか、自分はどんな個性の人間だとか、そういうことを考えたわけではありません。自分がなんだか世間と折り合いが悪いけど、いったいなにが問題なんだろう、というようなことです。幼稚園の時には、病気がちでしたから、休むことがあります。そうなるともうすぐに登園拒否です。あらためて行くのが、なんだかはずかしいのです。つまり行ったときに周りがどう思うのか、それを考えると、イヤなのです。そんなこと、だれも気にしてないよ。それが大人の反応でしょうね。でも私はそれが気になってしょうがないから、行きたくなかったわけです。

そのさらに裏には、どんな気持ちがあったのでしょうか。家族はともかく、自分以外の人たちでできている世間、そこで安心して行動していいのかどうか、それがわからなかったのです。この気持ちはかなりの歳になるまで、ずっと続いていました。いわば自分の天性みたいになっていたわけです。

たとえば、という話をしてみます。私は医学部を出て、医師免許を取りました。インターンは済ませましたが、臨床医にはなりませんでした。その理由として「私なんかが医者になったら、患者さんを何人殺すかわからん」という考えがありました。でも見方によっては、これはヘンです。だって同級生は同じ教育を受けて、ほとんど臨床医になっています。お国もとりあえず定められた修行をきちんとこなしたと認めて、免許をくれたのですから、それを私は信用していない、ということになります。信用していない人、それが私、つまり「自分」です。

だから世間と折り合いが悪いわけです。世間が要求することを一応済ませて、でもその結果期待されることを、自分の勝手な考えに基づいて、やろうとしない。世間が悪いとはいえない。おかしいのは私です。そんなこと、初めからわかってらあ。まあ、そういわずに読んでください。

自分の気持ちをもう少し掘り下げて見ると、突き当たることがあります。それは自分は本当に医者になりたかったのか、という動機です。じつはなりたくない。私は無意識のうちに、そう決めていたんじゃないか、と思います。自分は本気ではない。そういう人が医者の修行をすると、どうなるか。修行を済ませるためには、他人より一生懸命にやるかもしれません。だって根元に嘘があるのだから、仲間に追いつくためには、余分に努力をするはずです。ちょっとややこしいですが、そういうことじゃないかって、ずいぶん後になって気づきました。好きこそものの上手なれ、といいます。好きじゃないことで上手になろうとしたら、大変な努力が要りますよね。しかも最終的にはたぶん、うまくいかないでしょうね。事実、私はそうなったんだと思います。

文学は参考になるものです。いま述べてきたようなことは、小説に書いてあります。トルストイの『アンナ・カレーニナ』の最初のところを読んでも、アンナの兄の生き方について、関係のあることが書かれています。漱石の『三四郎』では、美禰子《みねこ》が最後に三四郎に出会うところで「われは我が愆《とが》を知る。我が罪は常に我が前にあり」と聖書の言葉を呟《つぶや》きます。若いころから私はこの二つの叙述をよく覚えているのです。その覚えていること自体が、自分への解答になっていたのですが、難しいものですね。解答は目の前にあって、自分がそれをよく「知っている」のに、解答だと思っていないのです。

あとは本文を読んでください。ここで書いたことと、関係ないとか、矛盾するとか、そう思ってくださっても結構です。でも、どちらも結局は一人の人間が書いたものです。自分の問題って、ずいぶん怖いところがありますよね。

「自分」の壁——目次

第1章 「自分」は矢印に過ぎない

自分よりも他人を知ったほうがいい

このところずっと考えてきたのが「自分」に関する問題です。私個人のことではありません。一般的な「自分」、つまり「自己」「自我」「自意識」等に言い換えてもいいことなのですが、以下、とりあえずは「自分」と書くことにします。

戦後、日本人は「自分」を重要視する傾向が強くなりました。これは欧米からの影響によるところが大きいでしょう。その結果、個々人の「個性」「独創性」が大切だとさんざん言われるようになったのです。教育現場ではもちろんのこと、職場などでも「個性の発揮」を求める風潮が強くあります。

そんなものがどれだけ大切なのかは疑わしい。これまでにもそのことを繰り返し書いて、話してきました。

よくたとえに用いるのが、大学時代に見た精神病の患者さんのことです。その人は壁一面に大便をぬりたくる癖がありました。個性的という意味では、これほど個性的な人は滅多にいないと思ったけれども、もちろん憧れの対象にはなりません。

そんなのは個性ではない、もっと立派な個性があるのだ、という人もいるでしょう。でも、人と違うところを個性と呼ぶのであれば、やはりあの患者さんがかなり個性的なのは間違いありません。

もちろん、特徴や長所があるのはいいことです。誰もがロボットのようになるべきだと言いたいわけでもありません。

しかし、そのような個性は、別に「発揮せよ」と言われなくても自然と身についているものなのです。周囲がお膳立てをして発揮させたり、伸ばしたりするたぐいのものではありません。むしろ周囲が押さえつけにかかっても、それでもその人に残っているものこそが個性なのです。

個性は放っておいても誰にでもあります。だから、この世の中で生きていくうえで大切なのは、「人といかに違うか」ではなくて、人と同じところを探すことです。

理想像を持ったことがない

私自身は、「自分とはなにか」といった悩みを抱えたことがありません。年寄りになった今に限らず、思春期ですら、そんなことで悩んだことがない。

我《が》が強くなかった、という言い方もできるでしょう。いつも周囲を見て、周りが一番納まるところに身を置くようにしていました。「もっと積極的になりなさい」と若い頃はよく言われたものです。しかし、いくら自分にしたいことがあっても、ものごとは周囲との関係によって決まる。そういうものだと思っていました。

だから異性関係で悩んだこともありません。どんなに一人であれこれ悩んだところで、相手が反応しなければどうしようもない。その先を考えても仕方がない。そう考えていたからです。おかげで今も恋愛については語れない。

「理想の自分像」なるものを持ったこともない。だから、そういう理想像に向かって努力したこともありません。

理想像を目指してがんばる人を否定するつもりは、まったくありません。たとえば野球選手が、数値的な目標を定めて努力するというのは当然でしょう。彼らには、具体的にやるべきことが見えているからです。

しかし、私はといえば、若い頃、何をすればいいのかまったく見えていませんでした。幼い頃に、「大きくなったら何になる?」と聞かれた際には、せいぜい、「兵隊さんはイヤ」と言っていた程度です。やりたくないことはわかっていても、何になりたい、というものはなかった。継ぐべき家業があれば、それをやればよかったのですが、そんなものもない。医学部に入ったのも、そこを出れば仕事があると思ったからです。

地図の中の矢印

そもそも「自分」とは一体何なのだろう。この問題はずっと気になっていました。なんとなく答えが見えてきたように感じたのは、「動物は『自分』を持っているのだろうか」ということを考えはじめてからでした。私たちは「自分」があって当たり前だと思っています。むしろ「『自分』なんていない」と考えている人はほとんどいない。

でも、ほかの動物もそうなのか。そのことを少し考えてみましょう。

多くの動物は、帰る巣、根城をもっています。一番わかりやすいのは、ミツバチでしょう。みんなきちんと規則正しく巣に帰ってくる。別にミツバチに限らず、多くの動物が道に迷わず巣に帰れます。

なぜ、そんなことができるか。それは頭の中に地図を持っているからです。自分が今どこにいて、巣はここから南のほうにある、といった情報が頭の中にあります。

もちろん、それは別に動物に限った話ではありません。人間も基本的には頭の中に地図を持っています。自宅がどこで、駅がどこで、会社がどこで、というのがわかっている。だから普段、きちんと会社に行って家に帰れるわけです。

方向音痴でいつも困っているという人もいるでしょうが、そういう人も、自分の足りない方向感覚を何らかの形でおぎなって暮らしています。

ところが、この地図でどうにも困ってしまうことがあります。

私は若い頃からよく山に出かけています。多くの場合は虫とりのためです。田舎の山には案内板が設置してあります。これも地図の一種です。困るのは、往々にしてその地図には「現在位置」が示されていないということでした。

つまり、その山がどんなふうになっていて、どういうふうに道があって、という情報は描かれているのですが、肝心のその地図がどこに立てられているのか、という情報がありません。当然、自分がどこにいるのかがわからない。これではまったく役に立ちません。

いくら詳細にその山の情報が書かれていても、現在位置の矢印がなければ役立たずの地図なのです。

溶けていく自分

なぜ地図の話をしているか。生物学的な「自分」とは、この「現在位置の矢印」ではないか、と私は考えているからです。ほかの人がこういう言い方をしているのを読んだり聞いたりしたことはありませんが、そう考えるとわかりやすいのです。

「自分」「自己」「自我」「自意識」等々、言葉でいうと、ずいぶん大層な感じになりますが、それは結局のところ、「今自分はどこにいるのかを示す矢印」くらいのものに過ぎないのではないか。

そのことは実は脳の研究からもわかっているのです。

脳の中には、「自己の領域」を決めている部位があります。「空間定位の領野」と呼ばれています。

なぜそんなことがわかるか。その部位が壊れた患者さんの症例等を調べた結果、わかってきたのです。

有名なのは、アメリカで脳神経解剖を研究している女性の学者ジル・ボルト・テイラーさんの例でしょう。彼女は三七歳のときに、脳卒中を起こして左脳の機能を破損してしまいました。ふつうの人は、脳内で出血したら、何が何だかわからなくなって倒れるだけでしょう。

しかし、彼女は専門家なので、出血した際に「ああ、これは脳の出血かなにかを起こしたな」ということが、すぐにわかったそうです。そして、これから自分の身に何が起こるのかを憶えておこう、と意識したのです。

脳がふつうに働かなくなりながらも、次のように考えていたそうです。

「いいわよ、のうそっちゅうがおきるのを止められないならそれでいいけど、一週間だけね！　ついでに、どんなふうに脳がげんじつの知覚をつくり出すのか、知りたいことを学べばいいんだから」（『奇跡の脳――脳科学者の脳が壊れたとき』〔竹内薫訳　新潮文庫〕より。以下同）

そして鏡の中に見える自分に対して、「これから体験することを全部おぼえおくように」と語りかけました。これはテイラーさんの職業意識の賜物《たまもの》でしょう。そして実際に回復してから、自分の経験を『奇跡の脳』という本にまとめたのです。

そこには空間定位の領野が壊れたらどうなるかが、見事に描かれています。

まず何が起こったか。彼女は自分が液体になったようだったと書いています。

「からだは浴室の壁で支えられていましたが、どこで自分が始まって終わっているのか、というからだの境界すらはっきりわからない。なんとも奇妙な感覚。からだが、固体ではなくて流体であるかのような感じ。まわりの空間や空気の流れに溶け込んでしまい、もう、からだと他のものの区別がつかない」

私たちは、自分のことを形ある固体だと思っていますが、空間定位の領野が壊れると、それが液体になってしまう。

液体は決まった形をもっていません。ずるずると広がって流れていく。ずーっと広がっていくと、どうなるか。テイラーさんは自分が世界と一緒になってしまうような感じになったのだと言います。

これは理屈で考えるとよくわかる話です。先ほどの地図の話を思い返してみてください。地図の中にある現在位置を示す矢印。その矢印を消していくとどうなるか。自分と地図が一体化するのです。

たとえば目の前に山があったとします。頭の中に山の姿がある。そこで「自分」という枠を取ってしまったら、山と自分が一体化するのです。山の映像は脳の中にあります。それは自分の一部です。その山は自分の外部にあるものだ、というのは「自分」という枠を意識できているからです。

自分と世界との区別がつくのは、脳がそう線引きをしているからであって、「矢印はここ」と決めてくれているからです。その部分が壊れてしまえば、目に入るもの、考えていることも全部、脳の「中」にあるわけですから、自分の「中」にあるのと同じです。区別はつきません。世界と自分の境目がなくなっている状態です。

臨死体験はなぜ気持ちいいのか

別のたとえでお話ししてみましょう。この状態が、とてもわかりやすい形で表れるのが臨死体験です。

体験した方は少ないでしょうが、話に聞いたことはあるでしょう。花畑が見えたとか、三途の川があったとか、いろんなパターンがありますが、共通しているのは、とても気持ちが良かったという感想です。一種の至福の状態だといいます。

なぜそうなるかといえば、自分という矢印が消えて、世界と一体化しているからにほかなりません。

自分が世界と一体化するということは、周りに敵や異物が一切ないということです。どんなに自分のことが嫌いで、自殺を考えているような人であっても、本能的には自分を「えこひいき」して、世界よりも自分のほうを大事に考えています。そして、世界には自分を脅かすようなものがたくさんあります。

ところが、自分と世界の区別がつかなくなって、「ぜんぶ自分」となると、敵も異物もない状態です。だから至福の状態になるのです。ちなみに先ほどのテイラーさんも、脳卒中になった時の感覚を次のように記しています。

「肉体の境界の知覚はもう、皮膚が空気に触れるところで終わらなくなっていました。魔法の壺《つぼ》から解放された、アラビアの精霊になったような感じ。大きな鯨が静かな幸福感で一杯の海を泳いでいくかのように、魂のエネルギーが流れているように思えたのです。肉体の境界がなくなってしまったことで、肉体的な存在として経験できる最高の喜びよりなお快く、素晴らしい至福の時がおとずれました」

意識は自分をえこひいきする

自分を「えこひいき」している、と言われてもピンと来ない場合は、子どもがよく発する、こんな素朴な疑問について考えてみてください。

「口の中にあるツバは汚くないのに、どうして外に出すと汚いの？」

なかなか鋭い疑問です。たしかに、口の中にツバがあることは気になりません。でも、ツバをコップに溜めていって、一杯分飲めと言われたら、いかに自分のものでもふつうの人は嫌がります。私も嫌です。

どうしてさっきまで平気だったものが嫌になるのか。これにどう答えればいいのでしょう。なかなか、うまい答えが思いつかないのではないでしょうか。

この答えは、人間は自分を「えこひいき」しているのだ、と考えればわかってきます。人間の脳、つまり意識は、「ここからここまでが自分だ」という自己の範囲を決めています。その範囲内のものは「えこひいき」する。ところが、それがいったん外に出ると、それまでの「えこひいき」分はなくなり、マイナスに転じてしまう。だから「ツバは汚い」と感じるようになるのです。もうお前は「自分」ではない、だから「えこひいき」はできない、ということです。

大便や小便についても同じことがいえます。いかに自分の体から出たものとはいえ、便を汚いと思うのがふつうです。しかし、体内にあるうちはその汚さを気にしないのもまた事実です。「あんな汚いものが体内にいつもあるなんて耐えられない」という人は、ちょっと問題があります。

水洗トイレが普及したことも、この「えこひいき」とかかわっていると私は考えています。私の子どもの頃はもちろんですが、戦後もずいぶん長い間、くみ取り式のトイレがありました。それがものすごい勢いで水洗トイレに替わっていきました。今では一般の家庭には、ほとんど見られないでしょう。

くみ取り式はなぜ消えたのか。経済の成長も要因の一つでしょう。

でも、私は、多くの人が「自分」「個性」と言い出したのと、水洗トイレの増加は並行していると思っています。

「自分」というものを確固としたもの、世界と切り離されたものとして、立てれば立てるほど、そこから出て行ったものに対しては、マイナスの感情を抱くようになる。「えこひいき」すればするほど、出て行ったものは強いマイナスの価値を持つようになるのです。

さっきまで便はお腹の中にあった「自分」の一部だった。その時には別に汚いなんて思いません。でも、出て行った途端に、とんでもなく汚いものに感じられる。早く目の届かないところにやってしまいたい。だからサーッと流してしまえる水洗トイレがいいのです。

生首はなぜ怖い

私の本業だった解剖でも同じことがいえます。長い間、私には不思議で仕方がないことがありました。なぜ人は解剖を嫌がるのか。これがよくわかりませんでした。

生首や切り落とされた腕といったものに、多くの人は強い恐怖心や嫌悪感を抱きます。当たり前だ、気持ち悪いんだから、という人もいるでしょう。気持ち悪いと思わないほうがおかしい、と。

しかし、本当に「当たり前」なのでしょうか。そのへんにいる人の顔や腕には誰も嫌悪感を抱きません。もしも抱くことがあるとすれば、それは顔や腕の問題ではなく、おそらくはその持ち主への嫌悪感です。少なくとも「顔全般」「腕全般」が嫌いという人は滅多にいません。

これも先ほどのツバと同じことが言えるはずです。つまり、体の一部としてくっついているうちは「えこひいき」できるが、切れたとたんにマイナスの価値を持つようになってしまう。

他人の体の一部だから気味悪い、ということではないはずです。たとえば自分の小指を切り落として、保存できるように加工したとします。では、それをネックレスにして身に着けていられるか。おそらくそんなことが平気な人はいません。精神科の患者さんでも、そういう人はいないでしょう。自分を傷つけることを繰り返す人はいますが、小指のネックレスが平気な人はいない。

やはり、自分の体から離れたとたんに「えこひいき」をしなくなるからです。

本や論文についても、同じような感覚があります。

自分の書いた論文のことを「排泄物」と表現する人がいます。それも自分の脳の中にあるうちは、自分自身として「えこひいき」していたのですが、外に出したとたんに、見たくないものになったのでしょう。私も自分の書いた本を読み返したいとはあまり思いません。

誰もが幽体離脱可能

興味深いのは、先ほども触れた臨死体験です。その時点で、周りから見ている限り、その人に意識はありません。当然、返事もしません。

ただし、かすかな意識があって、ある種の夢を見ているような状態です。

その夢には、いくつかの共通パターンがあるようです。「川の向こうから死んだおばあさんが手を振っていた」というようなものはお聞きになったことがあるでしょう。

それ以外でも、洋の東西を問わずによく報告されているのが、ベッドに寝ている自分を、上から見下ろしていた、というような内容のものです。幽体離脱と表現されることもあります。

なぜこのような現象が起きるのでしょうか。実際に見下ろしているわけはないのだから、脳のいたずらのようなものの産物なのは間違いない。

おそらくは、意識レベルがどんどん低下していった時に、「見ている私」と「見られている体」という二つが最後に残る。「寝ている私を自分が上から見ている」というと二つの存在があるようですが、これはもちろん本来は一つのものです。

ギリギリまで意識がなくなった最後の状態でも、「上から見ている自分」というものを私たちは持っていることになる。そんな状態でも持っているということは、かなり本能に近いところで、その鳥瞰《ちょうかん》する自分を持っていることになる。無意識に近いところで、そういう客観性を私たちは持っているのではないかと考えられます。

なにかを意識的に一所懸命やっている時には、そんな客観性があることは忘れてしまっています。意識から外れているのです。でも無意識にはずっとその客観性を持ち続けています。

家内は若い頃からお茶（茶の湯）が好きで、お手前をすることがありました。ある時、している間は無心で、なにかをやっているという意識がまったくないことに気づいた、と言っていました。慣れきった作業をしている時には意識がないというのは誰しもおぼえがあることでしょう。歩き慣れた道を歩いている時は、何も考えずに道を曲がっています。

客観的な意識の働きというのは、かなり重要です。一流のサッカー選手は、プレイしながらも、ピッチ全体を鳥瞰的に捉えることができるといいます。敵、味方、ボールの位置をキョロキョロすることなく、把握できているのです。選手はいちいち「鳥瞰しよう」などと考えているのではなく、自然とそうしているはずです。

もっと日常的な例をあげれば、自動車の運転がそうです。自動車を運転する人はいつもそういう能力を発揮しています。フロントガラスからの光景しか目に入らない人は下手くそなドライバーです。バックミラーくらいは見るのがふつうですし、上手《じょうず》な人は、そうした視覚情報を総合して、今自分の後ろにどのくらい車がいて、どういうスピードで動いていて、といったことが常に頭の中にあって、道路の全体像を頭に浮かべることができます。

この鳥瞰するような意識は、人間は誰でもが持っています。だから死にそうな時にも、幽体離脱して自分を見ることができる。

どっちでもいい

「自分」とは地図の中の現在位置の矢印程度で、基本的に誰の脳でも備えている機能の一つに過ぎない。とすると、「自己の確立」だの「個性の発揮」だのは、やはりそうたいしたものではない。そう考えたほうが自然な気がしてきます。

もともと日本人は、「自己」とか「個性」をさほど大切なものだとは考えていなかったし、今も本当はそんなものを必要としていないのではないでしょうか。

最近、ハーバードのビジネススクールの教授が書いた本を読みました。それにこんなエピソードがあります。「人生で自分自身で決めたいことはなにか」と日米の大学生に書かせてみたところ、アメリカ人の学生は配られた紙の裏側まで使ってびっしりと書いた。一方で、日本の大学生は、「住まい」とか「仕事」とか、二行程度書いておしまいだった。

このエピソードをどう考えるべきか。

きっと「自己の確立」や「個性の発揮」を大切だと考える人は、「だから日本の学生はダメなんだ」と言うのでしょう。

「自分のことは積極的に自分で決めなくてはいけない、そうやって道を切り拓くべきだ、そのためには大学生にディベートを叩き込め、個性を伸ばせ、そうしないと、これからのグローバル化した社会を生き抜くことはできない」

こうした論調はよく目にします。

でも、日本の大学生にそういう意味での「自己」や「個性」がないのだとすれば、そしてずっと日本人がそういう性質なのだとすれば、それはそういうものを強く求めない文化が日本にあるからだ、と考えたほうがいいのではないでしょうか。

アメリカの文化は、常に周囲がその人に対して「自己」をつくるように求めてきます。強要してくるといってもいい。それが一番端的に表れるのが、

「コーヒーにしますか？　紅茶にしますか？」

という質問です。いろんなところでそう聞かれるけれども、たいてい私はどっちでもいい。ところが、「どっちでもいいよ、そっちの都合で」と英語で言うのは、意外と面倒なのです。

アメリカは、「あなたはこれか？　あれか？」と選択を迫ってくる文化を持っています。それに常に答え続けるとは、どういうことか。つまり答えるうちに、「自己」「個

性」をつくっていかざるをえないのです。

「コーヒーにします」

そう答えた時点で、「自分はこういう時にコーヒーと答える人間だ」という項目が「自分」の構成要素として確立されます。別の時に、

「ビーフにしますか？　チキンにしますか？」

と聞かれて、

「チキンです」

と答えれば、「基本的に自分はチキン派だ」という項目が立ちます。

日本はどうか。どこかにお邪魔して座ると、黙ってお茶が出てくる。もちろん近頃では「お飲み物は何がよろしいでしょうか？」と聞いてくることもあるでしょうが、聞かれないことが多い。

黙って出されて、黙って飲む。そういう人が大半です。

そこで「私はコーヒー派なので、お茶はいりません」と我を張る人は、たいてい嫌がられます。面倒くさいやつだと思われることでしょう。

この文化の差は些細《ささい》に見えるかもしれませんが、かなり根本的な違いです。たまたま

アメリカを例にしましたが、ヨーロッパでも同じようなものです。だから日本人は優れているとか、劣っているとか、そういう話をしたいのではありません。そういう文化で私たちは育っている、ということです。これは簡単に意識で変えられるようなものではない。

試しに、先ほどの大学生への課題をご自分で考えてみればいいでしょう。「人生で自分自身で決めたいこと」はなにか。Ａ４判の紙で裏までビッシリ書ける人がどれだけいるでしょうか。結構、「それは世間が決めること」で済ますものが多いのではないでしょうか。

繰り返しますが、それが正しいとか間違っているとか、そういう話をしているのではありません。

しかし、生物学的に見ても「自分」などというものは、地図の中の矢印に過ぎない。そして社会的に見ても、日本において「自分」を立てることが、そう重要だとも思えない。このように考えると、戦後、私たち日本人はずいぶん無駄なことをしてきたのではないか、と思えてしまうのです。

「個性を伸ばせ」「自己を確立せよ」といった教育は、若い人に無理を要求してきただけなのではないでしょうか。身の丈に合わないことを強いているのですから、結果が良くなるはずもありません。

それよりは世間と折り合うことの大切さを教えたほうが、はるかにましではないでしょうか。

第2章　本当の自分は最後に残る

弟子は師匠になれない

こういう話をすると、「それでは世間や他人の顔色をうかがってばかりの人間だけになってしまうじゃないか」という人がいるかもしれません。「それでは社会が前に進まないではないか」と。

でも、そんな心配は要りません。

最初に述べたように、世間に押しつぶされそうになってもつぶれないものが「個性」です。

結局、誰しも世間と折り合えない部分は出てきます。それで折り合えないところについては、ケンカすればいいのです。それで世間が勝つか、自分が勝つかはわかりません。

でも、それでも残った自分が「本当の自分」のはずです。

「本当の自分」は、徹底的に争ったあとにも残る。むしろ、そういう過程を経ないと見えてこないという面がある。最初から発見できるものでも、発揮できるものでもありません。

日本の伝統芸能の世界は、そのことをよく示しています。入門した弟子は、まず徹底的に師匠の真似をさせられます。

「とにかく同じようにやれ」

その過程が一〇年、二〇年と続きます。

そんなふうにしても師匠のクローンをつくることはできません。どこかがどうしても違ってくる。その違いこそが、師匠の個性であり、また弟子の個性でもあります。徹底的に真似をすることから個性は生まれるのです。

弟子入りの最初の段階から「個性を伸ばせ」などと言っても意味がない。それは伝統芸能を学んだことがない人でも、ピンと来るのではないでしょうか。

オリジナリティと学問

伝統芸能の道に進む人で、最初から我流を通そうという人はさすがにいないでしょう。ところが、困ったことに他の分野では、そういうことが平気で行われています。たとえば学問の世界がそうです。研究者の世界では、ひたすら「オリジナリティ」を求められます。嫌というほど「オリジナルな仕事をしなさい」と言われるわけです。「個性を発揮せよ」と同じことです。

私は、この要求についてかなり真面目に考えました。そして真面目に考えれば考えるほど困ってしまったのです。

オリジナリティとはなにか。「私」にしかできないことです。学問の世界でいえば、それは「私」にしか考えられないこと、ということになるかもしれません。

でも「私」にしか考えられないで、他の人には考えられないことばかり考えろ、ということは、「病院に入れ」というのと同じではないか。あの壁に塗りたくっていた患者さんの隣室に入れ、ということではないか。

かつて本気で、私はこういう悩みを抱えていたわけです。

結論は、そんなオリジナリティを求めても仕方がない、ということでした。むしろ世間と折り合うことを知る。世間並みを身につける。

それでもどこか変なところが残れば、それが個性なのです。

「いいやつだけど、あいつのあの部分だけはしょうがないんだよね」と世間が言ってくれるようになれば、認められたということでしょう。

きっと会社などの組織でも「あの人はしょうがない」と言われる人がいるはずです。それはいい意味の場合もあれば、あきらめられている場合もあるでしょうが、いずれにしても、その人の個性は何らかの形で受け入れられている。

問題は、それぞれの人が個性を発揮するには、世間のほうがきちんとしていなければならないという点です。伝統芸能の例でいえば、師匠が基礎をきちんと学んで、その道をきちんと歩んでいるからこそ、徹底して真似る甲斐があるわけであって、でたらめな人だったら、どうしようもありません。

ところが、今は世間のほうがきちんとしていない。それなのに、なおかつ人々に「個性を発揮せよ」と言っている状態です。世間が基準を失ってしまっていて、せいぜいきちんとある基準は大学受験とかその程度のものです。これでは若い人は困ってしまいます。

本来は、人生はどうやって生きていけばいいか、といったことについての世間の基準、ものさしがあるべきなのに、それが揺らいでしまっている。そのくせ「個性を持て」だから、若い人がわけもわからず「自分探し」をしたがるというのが現状です。これは気の毒に思えます。

実際には、「本当の自分」なんて探す必要はありません。「本当の自分」がどこかに行ってしまっているとして、じゃあ、それを探している自分は誰なんだよ、という話です。

恋をしていた「自分」は別人

本当は若い人は未完成で当たり前なのです。二〇歳やそこらで、確固とした「本当の自分」なんてものが見つかるはずがない。

若い頃の恋愛を考えてみれば、すぐにわかります。誰だって、情熱的に誰かのことを好きになることはあります。その人のことを嫌いになるなんて考えられません。しかし、そのまま結婚して終生寄り添うというケースよりは、いつの間にか何らかの事情で別れることのほうが多いでしょう。

もちろん、その頃の気持ちをずっと持ち続ける人もいますが、多くの人は、その恋愛を忘れてまた別の人のことを好きになる。ずいぶん熱を上げていたのに、一年もすれば、

「あれは何だったんだろう」となるなんてことは珍しくない。

その時にはもう別の私になっています。それで全然問題ありません。熱を上げていた「私」は、過去の私、もういなくなった人です。ところが確固とした「本当の自分」があるという前提に立つと、そういう考え方ができなくなってしまう。

ここでも、「本当の自分」はせいぜい「現在位置の矢印」だと考えてみたらどうでしょうか。別にフラフラ動いても構いません。現在位置は動くものなのですから。

地図のほうは変わりません。年を取っていけば、地図のほうが自然と詳しくなっていくものです。そういう生物学的な能力は、社会的にも応用されています。

社会という地図の中で自分がどこにいるのか。それを「地位」というのです。社会的階層の中での自分の位置です。

これについて、男の人は特に敏感です。鎌倉で乗ったタクシーの女性運転手さんがこんな話をしてくれました。

「男ってバカですね。うちの会社が、『係長』っていう肩書きをつくったんですよ。それになったからって給料が上がるわけでもなんでもないから意味がないと思うんだけど、男の人は係長になったとたんに、言葉づかいなんかが変わるんですから」

「係長」になったとたんに、男性運転手の頭の中の矢印が動いたのでしょう。一方で、女性はもうちょっと現実的だから、そんなものでは動かない。

世間の本質は変わらない

戦後、日本の社会は大きな流れとして欧米化を目指しました。日本ならではの、というものを消す方向に進んだ。「個性」を求めるのも、その一環です。

その方向できちんと進めば、日本の大学生だってA４判の紙の裏までびっしり書けるようになっていたはずでした。仕事も結婚も飲み物も食べ物も全部、何でも自分で決める「確固とした自分」が増えるはずでした。

しかし、実際にはそんなことにはなっていません。これを失敗だと考えるべきなのか。そうではなくて、本質的なことはそう簡単には動かない、と考えたほうがいいのです。社会というものも個人の集まりです。その性質も個人と似ていますから、「本音」と「建前」がある。そして本音、つまり本質的な部分は簡単には変わりません。

いくら小手先や口先で「個性を発揮せよ」といっても実現なんかできない。社会の本質的な部分は変わっていないからです。

若い人が、「自分で決めること」を二つしか書けないで、「あとは親や上司や先輩の言う通りでいいや」と思うのは仕方がありません。ただし、その世間の側のほうがぐらぐらしている。そちらの「たしかさ」が怪しくなったものですから、若い人が道に迷ってうろうろするようになってしまいました。

思想は自由

日本人は欧米人と比べると、世間の中で「自分」を出さずに従っています。しかし、その分、頭の中の自由度は相当なものです。外で不自由な分、中で自由になっているのです。どこの国の人であろうと、脳の容量は同じようなものですから、どこで自由な部分が出てくるかが違うだけです。

現在、世界のインターネットの書き込みのうち七〇パーセントほどが日本語だといいます。日本語を使っているのはせいぜい全世界の人口の二パーセントですから、いかにそれが多いか。考えてみると恐ろしいほどの量です。これは日本人が好き勝手に物を考えて、それを書き込んでいるからです。

頭の中が好き勝手、ということを日本人は、当たり前だと思っています。だから日本人は「思想の自由」などということをわざわざ言いません。

しかし、世界を見れば、こんなに自由な人たちばかりではないのです。欧米の人たちは、もっと考え方に一定の枠がはめられています。C・W・ニコルさんは、「日本に来て一番良かったことは、宗教からの自由があること」と言っていました。日本人で、頭の中に宗教による枠が厳しくはめられている人はそう多くないでしょうが、外国ではそういうものがあるほうがふつうなのです。

頭の中で危険なこと、いやらしいことを平気で日本人は妄想します。日本の春画は、驚異的な表現力と量の豊富さを誇っています。あれは生殖行為の時の脳の中味を外部に出して絵にしたものです。生殖器が体全体に比べて異常に大きいのも、そのせいです。ああいうものを考えて、絵にするということに、日本人はあまり抵抗がありません。

しかし、外国人の多くにとっては考えることも汚らわしい。「汝、姦淫することなかれ」ということです。

一方で、日本人は「頭の中で考えて楽しむのは自由でしょう」と思う。

これもまた、欧米と日本、どちらの文化がいいとか悪いという問題ではありません。それぞれの文化が、それぞれ内部でつじつまをあわせているわけで、上下があるわけではない。欧米に限らず、中国や韓国でも、それぞれの文化があり、それには必然性がある。

もちろん、だからといって「外国人とは理解しあえない」とあきらめては仕方がありません。どこが私たちと違い、どこが同じなのか。できるだけ言語化して理解することは大切です。そうすれば、完全には理解できないにしても、当たらずとも遠からず、ということにはできるでしょう。

日本人の思考の特徴は、「実害ないだろう」ということを平気で言えるところです。「キリストの絵なんか踏んでも別に困らないんだから、とっとと踏んでしまえ」ということです。おそらく踏み絵を拒否した人に対して、多くの日本人がそう思っている。日本人の多くはその考えに違和感を持ちません。平気でそう言う。もしも拒否したら、「お前みたいに付き合いづらい奴はいない」と言われる。

しかし、イスラム圏でその手のことを言ったらどうなるか。

「豚食ったって、別に困らないだろう。食えばいいじゃないか」

たいへんなことになるはずです。

こういう日本人の「現実的」な考え方はいいことだろう、と思われるかもしれません。

たしかに、日常生活においては、こうした「現実的」な思考でも支障はありません。しかし、むずかしいのはもっとややこしい問題に直面したときです。「どっちに転んでもいいとはいいえない」という問題に対して、このスタンスでは答えを出せなくなってしまう。

脳は顔色をうかがう

日本に「顔色を読む」という表現があるのは興味深いことです。

もともと、人の脳は他人の行動を理解できるようにできています。そのことは、さまざまな形でわかってきています。

有名なのは、ミラーニューロンでしょう。人がある動作をした際に、それを見ている人の脳内を調べると、実際に動作をしている人と同じ部位が反応する。見ているだけなのに、相手と同じように脳が働く。こういう脳の働きが、他人に共感したり、気持ちを理解したりするのに役立っているのではないか、と考えられています。

錐状体《すいじょうたい》細胞の研究からも面白いことがわかっています。人間が色彩を判別する際に使う、網膜にある細胞の研究です。この細胞には、赤、青、緑の三種類があります。それぞれの細胞によって、感じる光が異なります。この三つが光の三原色と同じなのは、おわかりでしょう。

錐状体細胞を三種類持っているのは、ヒトやサルなどの特徴です。イヌやネコは二種類しか持っていない。それでは色がわからないだろう、と思う人もいるでしょう。私たちは、三原色があれば、どんな色も表現できる、と習ってきたからです。ということは、色が二つでは不十分なはず。

ところが、実は二種類でも十分、色はわかるのだそうです。印刷屋さんによれば、色を刷りだすには二原色あればある程度何とかなるとのこと。ヒトでも二種類しかない人が色盲とされたりしますが、それでもある程度、色はわかります。ただし、もちろん三種類の錐状体細胞があったほうが、より細かい色のニュアンスがわかることはたしかです。

ヒトやサルなどの霊長類が、なぜ三種類の錐状体細胞を持っているか。以前は、次のような説明がなされていました。木の実などを採取して生きていくうえで、実の熟し具合などを知るには、細かい色の違いが判別できたほうがいいのだ、と。

ところが、よく調べてみると、それ以上のことがわかってきました。赤と青の錐状体細胞が感じる光の波長のピークは、変化する人間の顔色のピークと合致していた。つまり、人の顔色の変化の細かいところまで判別するために、他の哺乳類とは別の細胞を持っているというのです。

そのおかげで、私たちは他人の感情を細やかに推し量ることもできるし、体調を見ることもできます。子どもの具合が悪くなって、顔が青白くなれば、すぐに気づくことができるわけです。これがわかるのとわからないのでは大違いです。

外国にも「顔色を読む」といった表現があるのかどうか、少なくとも私は知りません。日本語には他にも「血の巡りが悪い」「人の痛みを感じる」といった言葉があります。日本が脳の本来の動きに素直に即した社会、よくできた脳化社会だったからこそ生まれたものなのでしょう。

第3章　私の体は私だけのものではない

体内の他者

「自分」について、もう少し話をしてみようと思いますが、そのために、いったん生物学の話をします。

私が若い頃からわからなかったのは、進化論のことでした。進化論が理解できないということではありません。進化論をめぐる論争が、よくわからなかったのです。

高校生の頃から関心があったので関連の本などを読むと、とにかく偉い学者同士が論争をしている。論争といってもかなり激しいもので、ケンカに近い。当時の自民党と共産党のようなものでした。

科学の分野の他の仮説についてはそんなことはあまりなかったので、とても不思議でした。ただ、ある程度わかってきたのは、これは生物学の問題ではなくて、社会思想をめぐる対立のようなものなのだ、ということでした。

おそらく多くの人が学校で学んだ進化論というのは、ダーウィンの自然選択説にもとづくものでしょう。

クビの短いキリンと長いキリンがいて、長いほうが高いところの葉っぱを食べるのに有利だから生き残った。生き残るのに有利な特徴、遺伝子を持つ個体が生き残っていくのだ、という説です。

よくできた、わかりやすいストーリーですし、ある程度はこれで説明がつくように見えます。ところが、実際の生物を見ていくと、どうも自然選択説だけでは説明がつかないことが、とても多い。

私が三〇年近く前に出した『形を読む――生物の形態をめぐって』(培風館)という本でも、そのことについて書いています。「自然選択説だけでは、生きものの形の進化は説明がつかない」と書きました。「形の進化は」という条件をつけたのは、そうせずに「自然選択説はおかしい」とストレートに書いたら、たいへんな反発を喰らうことになるからです。ダーウィンを神聖化して絶対視する人が怒り出す。実際に、友人の池田清彦さんは、そういうことをストレートに言って、あちこちで攻撃されてたいへんでした。かなり感情的に批判されたようです。しかし、誰かが感情的な批判をするときは、そのどこかに嘘がある。そんなふうに私は考えるようにしています。

ともあれ、ヨーロッパの学者たちは、かなり長い間、ダーウィンを疑おうともしてこなかった。ところが最近、ちょっと雲行きが変わってきました。こちらの抱いている違和感を、彼らも持つようになったのです。

たとえば、細胞の研究からわかってきたことがあります。人体は約六〇兆の細胞から成っている、とされています。この細胞の中を見ると、変なことに気づきます。細胞の中には核があって、その中に遺伝子もあるということは学校で習ったことがあるでしょう。

問題は、細胞の中には別の変なものが入っているという点です。

ミトコンドリアです。ミトコンドリアは、私たちの体内で重要な役割を果たしています。酸素を吸い、糖を分解してエネルギーを生む、という仕事はミトコンドリアが一手に引き受けてくれている。

なぜ青酸カリを飲んだ人は即死するか。青酸カリを飲むと胃の中で青酸ガスが出る。

このガスを吸うとミトコンドリアは、ぱったりと活動を止めてしまう。要するに細胞の中で窒息してしまう。そしてミトコンドリアが窒息すると、エネルギーも生み出せないから人は死んでしまうというわけです。

ミトコンドリアを調べると、細胞本体とは別に、自前の遺伝子を持っている、ということがわかってきました。

人間のような生物が持っている遺伝子は核の中にあります。一方で、細菌などの遺伝子は核の中に入っていません。細胞に核がそもそもないのです。こういう生物を原核生物と呼びます。

ミトコンドリアの遺伝子は細菌のほうの遺伝子でした。つまり、私たちのものとはまったく別物だったのです。

これは、別に最近の発見でも何でもありません。もう数十年前からわかっていたことです。ちょっと生物学を知っている人なら誰でも知っているでしょう。

ミトコンドリアに限らず、細胞の繊毛《せんもう》や鞭毛《べんもう》のもとになる中心体も自前の遺伝子を持っています。植物でも、葉緑体は、本体の植物とは別の自前の遺伝子を持っている。

遺伝子は生物の設計図だといいます。しかし、体内にいる細胞が別の設計図を持っている。これをどう考えればいいのか。

リン・マーギュリスというアメリカの女性生物学者は、次のような仮説を立てました。

「自前の遺伝子を持つものは、全部、外部から生物の体内に住みついた生物である」

ミトコンドリアは外部からやってきて人体に住みついたものだ、というのです。

彼女はこの論文を一九七〇年に学会に提出しました。学術論文は、通常、匿名のレフリー（審査委員）が見て、合否を決めます。今ではある程度受け容れられているマーギュリスの説ですが、発表当初、彼女の論文はなんと一七回も否定されたといいます。これはかなり異例のことです。ダーウィンへの信奉の強さがその背景にあります。

チョウと幼虫は同じ生きものか

進化論を説明する時に、よく系統樹というものが用いられます。根元は一つで、どんどん枝分かれしていって、一番上に現在の地球上にいるいろんな生物が並んでいるやつです。下のほうをたどっていくと、別々の生きものがくっついている。

素直な人は、「昔は同じ生きものだったものが、進化の過程で別々の生きものになったのだな。そういう流れで生物は進化して、今の人間はその最先端のところにいるのだ」と納得するかもしれません。

しかし、同じ生きものが別の生きものに分かれることがあるのならば、その逆が起きる、ということは考えられないでしょうか。

虫で考えてみましょう。

虫は成長する際に、変態をします。ごく簡単に言えば、幼虫と成虫で姿が変わってしまうということです。人間のような哺乳類は、変態をしません。赤ちゃんと大人とで姿は変わりますが、基本的なパーツは同じです。

虫の他には甲殻類（エビなど）も変態をします。この変態は、不完全変態と完全変態とに分けられます。

たとえば、トンボは前者にあたります。ヤゴがトンボに変わる際、基本的にヤゴのパーツはトンボにそのまま生きている。ヤゴがエサを嚙むときに使っていたアゴは、少しだけ修正が加えられたうえで、トンボのアゴになるわけです。

一方でチョウは後者の完全変態です。モンシロチョウの幼虫が、キャベツなどの葉っぱをかじっているのを見たことがあるでしょう。幼虫の時には、かじるためのアゴを持っているわけです。ところが、チョウになったら葉っぱをかじったりはしません。ストローのような口で蜜を吸います。

どうやったら、かじる口を吸う口に変えられるのか。

その秘密は、さなぎの時期にあります。チョウはさなぎになった時点で、幼虫の時に活動していた細胞を全部一回、スクラップにしてしまうのです。一方で、持っていたけれども、分化させていなかった——簡単にいえば、しまったままの状態だった——細胞を徹底的に増やしていって、新しくチョウの体をつくるわけです。幼虫の時に使っていた内臓も何もかもつくりかえてしまう。

家にたとえていうならば、不完全変態はリフォームです。家の基本部分は残しつつ、あちこちに手を加えて新しい家にする。一方、完全変態は新築です。古い家を一回取り壊して、跡地にまったく別の家を建てる。

ですから、考えようによっては、幼虫とチョウは別の生きものだともいえます。

そう考えると、次のような仮説が浮かんできます。

もともと、チョウの幼虫と成虫は別々の生きものだった。幼虫のほうはキャベツの上をウロウロしていて、成虫のほうは花の上をヒラヒラ飛んでいた。それがあるとき、幼虫の中にチョウが住み着いて「仲良くやろうや」と話をつけた。片方は地面で一所懸命に食べて太り、もう片方はヒラヒラ飛んで生殖行為に励む、ということで役割分担を決めた。だから幼虫と成虫の形はまったく違うのだ、と。

そんなバカな、と思われるでしょうか。でも、そう考えたほうがわかりやすいという例が生物の世界にはいくらでもあります。

ヒトデは星型をしています（実際には星はあんな形をしていないから、正確に言えばヒトデ型なのですが、ともかくああいう五軸対称の形をしています）。

では、その幼生はどうか。こちらはエビのような、他の生物でもよく見られる左右対称の形になっています。

なぜふつうの形のものが、五軸対称の形になるのか。途中で別の生きものに乗っ取られた。そう考えてみたらどうでしょう。

もちろん、こうした疑問には、きちんとした生物学的な説明はなされています。ふつうに生物学を勉強すれば、「ここがこうなって、こうなるから変わるのだ」ということを教わります。そこで素直な人は、そういうものか、と納得するわけです。

でも、私は素直ではないので、疑ってしまう。もともとは乗っ取りだったんじゃないか、と。あまり、そういうことをいう人は多くありません。

「あいつ今は人間だけど、もとは犬だったんじゃねえの」

そんな話が出てくるのは落語くらいで、真面目に言うとおかしな人と思われるかもしれません。

しかし、別に思いつきのレベルでこういうお話をしているわけではありません。

体内はウイルスだらけ

ヒトゲノムの研究が進んだ、という話題を目にされたことがある方は多いかと思います。人間の遺伝子の並びを全部解読することが終わったわけです。

かなり大ざっぱに説明すれば、人間の遺伝子というものは、A、T、G、Cという四種類の塩基が三〇億並んでできています。これが、どんなふうに並んでいるかの解読が終わったのです。塩基の配列の地図ができたわけです。

私たちはずっと、この配列次第で、さまざまなものがつくられる、と習ってきました。一般的には遺伝子は生物の設計図にあたる、という表現が用いられます。この並び次第で、さまざまなたんぱく質が作られるからです。

ところが解読が終わってわかったのは、遺伝子イコール人体の設計図ではない、ということでした。たんぱく質の設計にかかわっているのはせいぜい遺伝子の中の一・五パーセントで残りの九八・五パーセントは、そんなことにかかわっていないのです。

では、何をしているのか。実はまだ、よくわかっていません。しかし三〇パーセントほどの遺伝子は、もともとは外部のウイルスだったらしい、ということもわかってきました。

これはＳＦのたぐいの話ではありません。

たとえばエイズのウイルスは、感染した人の染色体に潜りこんでしまいます。一人の人間の短い人生の間であれば、そんなにあれこれ感染しないかもしれません（補足しておけば、別にウイルスと病気はイコールではありません。持っていて何の問題もないものもたくさんあります）。

しかし脊椎《せきつい》動物が誕生して、もう五億年です。その間、どれだけのウイルスに感染したことか。どれだけのウイルスが体内に入って、そのまま住みついたことか。体内にあるウイルス由来の遺伝子は、その結果なのです。

私たちはウイルスと体内で共生しているのではないか。体内に「ヒトではない生きもの」を持っているのではないか。そのように考えるのは、そうおかしなことではないことは、おわかりいただけるかと思います。

そして、こう考えると、幼虫の中にチョウという別の生きものがこっそり住みついているということも、さほど突飛ではないと思えるのではないでしょうか。

「自分」についての話が、ウイルスの話になってしまっています。でも、これは脱線ではありません。もうすぐ同じところに行き着きます。

「生態系」という言葉があります。それは地球上のあらゆる生物が、いろいろな形で依存しあっていることを意味しています。虫や鳥や哺乳類や植物のそれぞれがそれぞれに世話になっている、というような図を見たことがあるでしょう。

この考え方は、私たちにとってさほど抵抗なく受け止められるものではないかと思います。ところが、最初に「自分」を立てる社会の人は、これを理解できません。マーギュリスが「我々の細胞は根本的には外来の原核生物がいくつも住み着いてできあがった複合体だ」と一九七〇年に唱えてから二〇年もの間、アメリカの生物学会では「共生」という単語の入った学会やシンポジウムは開かれなかった。

アメリカ人は共生が好きではないのです。共生なんて嫌だ、俺のいうことを聞け。フセインもビン・ラディンも嫌いだ、だから殺してしまおう、ということです。もちろん、当のアメリカ人に聞けば、「そんなつもりはない」と言うに決まっています。しかし、あれこれ理屈をつけるけれども、やっていることを素直に見れば、そういうことになる。誤解されると困りますが、別に悪口ではありません。単に、そういう文化を持った人たちだ、ということです。

一方で、私たちは共生の世界で育ってきたわけです。「自分」が先に立つことはなかった。だから日本人はアメリカ人よりも偉い、と言いたいわけではありません。私たちの社会は「一億総玉砕」という最悪の形を生んだこともあるのですから。

共生の強み

私はよく山に行きます。そこで林業にかかわる人の話を聞きます。

山をいい状態に保つには、間伐など適切な手入れをする必要がある。ところが、それができる目や腕を持つ人はどんどん減っている。どの木を切り、どの木を残すか。あと何年すれば、木がどうなっているか。それを見る目を持つ人がいなくなっているのです。

林業の現場では、いろいろ面白い話が聞けます。高知県では木を残す際には、三本単位にするのだそうです。なぜか。

高知県は台風が多い土地です。台風で木が倒れないようにするには、一本に当たる風を弱める必要がある。三本ひとまとめにしていると、どこから風が吹いても、どれかが風上に位置することになって、全体への風が弱まるそうです。三本が一緒に立っているから、木が、そして森林全体が保たれる。三本がいわば共生していることが強みにつながっているわけです。

これが何を示しているかを考えていただきたいのです。

あちこちで植林されたので、杉だらけの山が増えてしまいましたが、本当の山はああいう姿ではありません。本来は、さまざまな広葉樹の間に杉が立っているというのが、天然の山の姿です。そういう山は色とりどりで、とてもきれいです。赤、緑、黄色が散らばっていて、パッチワークのようです。

いろいろな木があり、その下にはいろいろな生きものがいる。それは、そのほうがお互いにとって都合がいいからです。それで山全体が保《も》っているのです。

人間の都合で木を一本切れば、その下にある土の状態が変わる。また隣にある木への風や日当たりも変わる。すべてが影響しあっています。

シロアリとアメーバ

シロアリは木材を食べます。ところが実は、木材のセルロースを分解できる酵素を持つ生物はほとんどいません。例外的にカタツムリは持っていますが、シロアリは持っていない。

なぜシロアリは木材を食べることができるのか。それは胃の中にセルロースを分解できるアメーバを持っているからです。これがいるから、木材を消化できる。それで人間に迷惑がられる。

面白い実験があります。このアメーバはシロアリよりも熱に弱いことがわかっていて、温度を上げていくと、アメーバだけが死んで、シロアリは生きているという状態になる。ところが、そうなると食べた木材を消化できなくなるので、結局すぐにシロアリも死んでしまうのです。

こうなると、シロアリとアメーバは別の生きものと言えるのでしょうか。運命共同体と考えるのが自然でしょう。

体内に別のものを持っているのは珍しいことでも何でもありません。人間のお腹の中には、六〇兆とも一〇〇兆ともいわれる数の細菌がいます。昔、顕微鏡を作ったオランダのレーウェンフックという学者は、自分の歯の間をそれで見て仰天したそうです。あまりにおびただしい数の生きものが動き回っていたからです。

駅のエスカレーターのベルトには「除菌」と書かれています。でも、それに乗っている私たちの体内にはとんでもない数の菌が住み着いている。すでに菌と共生しているのです。

だんだん話がつながってきました。

こういう状態――共生といってもいいし、一心同体とか運命共同体といっても構いません――が、自然の本来の姿である。そう考えると、個性を持って、確固とした「自分」を確立して、独立して生きる、などといった考え方が、実はまったく現実味のないものだと考えられるのではないでしょうか。生物の本質から離れているのは明らかです。

私は環境の一部

かつてアームストロング船長が月に行きました。月面は真空なのに、活動できたのは宇宙服を着ていたからです。では、その宇宙服とアームストロング船長の間には何があったか。地球の空気です。それがなければ船長は即死です。

これはアメーバとシロアリの関係と同じことです。

つまり、地球の環境と私たちの関係はそういうものなのです。「環境が大事だ」ということに異を唱える人はいないでしょう。でも、どれだけの人が、環境と私たちは一心同体、同じものなのだという点に思い至っているか。本気でそう思うことができているか。

どこかで「自分は自分」「人間は人間」「環境は外にあるもの」と思っていないでしょうか。そういう人が増えたのは、ルネサンス以降の「個人」中心の考え方が幅をきかせてきたからです。「自分」を周囲から独立した存在として立てて、関係を切っていく。周りは全部異物ですから、つまるところはマイナスです。臨死体験と逆なわけです。

仏教をひいきするわけではありませんが、こうした点についてはより自然な考え方をしています。さまざまなものとのつながりを重要視しているからこそ、「縁」という発想が出てくる。

これまで私は、よくブータンに行った時の話を紹介してきました。『死の壁』（新潮新書）にも書きました。食堂で、私の飲み物にハエが入ってきた。現地の人はそれをつまんで、助け出してやったあとに、こちらに向かって、「お前のじいさんだったかもしれないからな」と笑った。

ブータンには、お互いがつながりあっているという教えが生きているのです。

もちろん、本当にハエが私のじいさんのはずがありません。そういうことをあまり大真面目に本気で信じ込むと、それはそれで弊害があるかもしれません。

でも、そういう考え方を持っていることには意味があるのです。

田んぼは私

変な社会を我々はつくってきてしまった。そう感じることが増えました。

本来、自然と共生できる文化、「個人」なんてなくてもいい社会を私たちは持っていたはずでした。それが、どんどんおかしな方向に進んでしまいました。

かつては言わなくてもわかっていたことが、今では言っても伝わらないようになった。

学生を田んぼに連れて行った際に、

「あの田んぼはお前だろう」

と私は言います。

すると、相手はぽかんとしています。何を言っているのだ、このじいさんは。

でも、田んぼは私たち自身だ、という考えはおかしなものではありません。田んぼから米ができる。その米を体内に入れて、体をつくっていく。米は体の一部になる。その米を作っている田んぼの土や水、そこに降り注いでいる日光も全部、私になっていくわけです。

もちろん海でも同じことです。魚を食べるということは、海を体内に取り入れていく、ということでしょう。

でも、こういうことを子どもに教える大人があまりいません。「あんたはあんた。田んぼは田んぼ。海は海」としか教えないでしょう。

アイヌは「熊送り」という儀式をやります。自分たちが捕獲して、食べたり毛皮を利用したりする熊を神様の化身と考えて、熊の頭蓋骨を掲げて、再び神の国へと送る儀式です。こういうものを、今の人たちは「原始的だ」と思うことでしょう。

でも、そう思う人とアイヌとで、どちらがまともなのでしょうか。生物の本質を捉えているのはアイヌのほうではないでしょうか。

春先になると、スギ花粉のせいで私は花粉症の症状が出て苦しみます。全国どこの山もスギばかり植えたから、こうなってしまった。なぜ同じ木ばかり植えたのか、もっと自然に合わせたことができただろうに、と言えば、答えは決まっています。

「それでは経済効率が悪い」

おおよそこういうことを言ってくるわけです。多様性が大切だとか、そういう議論をすると、「それでは経済が成り立たない」となる。そういう言い方をしなくても、背景にあるのはその手の思考です。

しかし、「経済が成り立たない」で思考停止してはいけないのです。

第4章　エネルギー問題は自分自身の問題

原発も世界の一部

私はカボチャとサツマイモを食べません。理由を聞かれたら、

「皆さんが幸せになるように祈願して、断っているのです」

と答えるようにしています。

もちろんウソです。本当は戦中、戦後に嫌というほど、一生分食べさせられたからです。もう食べたくない。

「それでは経済が成り立たない」という言い方を聞くと、あの頃のことを思い出して、それって変じゃないか、と言いたくもなります。

経済は全然成り立ってなかったけれども、ちゃんとみんな生きていた。あの頃食べら

れなくて亡くなったのは「闇米を食べない」とがんばって栄養失調になった山口忠良判事くらいでしょう。それでも家族は生きていた。

乱暴な物言いなのは承知の上です。

しかし、「経済が成り立たない」を推し進めていったから、国内に原発が五〇基もできてしまいました。いつの間にこんなに増えたのか、原発って放っておくと子どもを産むのか。そう思ったほどです。

前章で述べた、自然と人間、自分自身がつながっているという話は、それなりに受けいれられるかもしれません。しかし、もう少し話を広げて「世界全体とつながっている」と言ったらどうでしょうか。世界全体というからには、社会や人工物も含まれます。高層ビルもダムも原発も、そこにある以上は「世界」の一部です。

田んぼならいざ知らず、ビルやダム、ましてや原発なんかとつながった覚えはない、と怒る人もいるかもしれません。でも、やはりそうしたものも、私たちがつくったものです。それを「俺は知らない。関係ない」と簡単に切ってしまうことはできません。「世界とつながっている」と考えてみる。そしてそう考えれば、福島第一原発の事故も、エネルギーの問題も自分自身の問題だと捉えざるをえなくなります。

そんなふうに考えたくない、不愉快だという気持ちはわかります。しかし、これまで「原発なんて俺は知らない。関係ない」とほとんどの人が切って捨ててしまっていたから、問題が起きたとも考えられます。

エネルギーは一長一短

私は、原発がいいとは思っていません。しかし同様に、火力発電で石油や石炭を使うこともいいとは思っていません。正確にいえば、どちらにもいいことと悪いことがあって、いいことずくめなんてうまい話は、エネルギーに関してはないのです。

個々のエネルギーはいずれも一長一短で、いいことずくめ、丸儲けはありえません。

自然再生エネルギーが素晴らしい、と言っている人がいます。あたかも夢のエネルギーのように語る人もいるようです。しかし、それは原発導入時の宣伝文句と実はまったく同じです。一九五〇年代において、原子力の平和利用こそが、エネルギー問題を解決する夢のプランだったのです。

核燃料の後始末のことを考えれば、太陽光発電のほうが原発よりはいい、というくらいのことは言えるのかもしれません。しかし、では太陽光発電に後始末の問題がないかといえば、そうとも言い切れない。たとえば、あの太陽光パネルが何年もつのかは、わかりません。あのパネルにどれだけ貴重なレアメタルを使っているかも企業秘密です。いつ、急に「もう作れません」という話になるかもよくわからない。

エネルギーについて真面目に考えるつもりならば、人にはどのくらいエネルギーが必要か、という根本の問題から考えないといけません。今は日本人一人あたり自分の作るエネルギーの四〇倍を使っているとされています。現代の日本人は四〇人を雇っているのと同じ状態で、日々暮らしている。それはいくら何でも使いすぎだと思うのがふつうじゃないでしょうか。

困ったことに、エネルギーを野放図に使ったほうが〝強い〟という面はあります。アメリカの軍事力の強さのもとにはそれがあります。彼らは日本の四倍使っている。つまり、一六〇人力です。

しかし、それでアメリカ人が幸せかといえば、そうは思えません。平均的に見れば、日本人のほうが幸せなのではないか、という気がします。少なくとも日本人の四倍、アメリカ人が幸せになっているとは思えない。それだけでもエネルギーの大量消費にさほど意味がないことはわかるはずです。

だからエネルギーを使うな、というのではありません。しかし、あまりに妙なことに使いすぎています。建物を無駄にライトアップしたり、やたらと明るくしたりというのはもういいでしょう。あれでは虫が可哀想です。彼らの生活が狂ってしまいました。

昔でも一人あたり、一馬力は使っていたそうです。そのくらいの消費量が実は妥当なのではないでしょうか。もちろん、一律にそうする必要はありません。建設作業など重労働では、どんどんエネルギーを使っていい。その手の負担が減ったから、腰の曲がった人を町で見なくなった。これは進歩のおかげであり、エネルギーのおかげなのです。

成長を疑う

私たちはどの程度のエネルギーを消費すべきか、どの程度我慢すべきかについては、真面目に考えなくてはいけません。しかし、国会でそのようなことは議論されません。

あらゆる人が「経済成長が必要だ」と説きます。新聞、テレビ等で見る論調のほとんどはそうです。その前提には「経済成長は良いことで、庶民にとってもプラスになる」という考えがあります。しかし、その前提がどこまで正しいかについては、ほとんど考慮されていません。

国の経済成長は、エネルギー消費に比例します。エネルギー消費量が拡大していけば、経済は成長するし、逆の場合には経済は停滞する。経済成長とは、エネルギー消費量の拡大を別の言葉で表しているだけだ、とも言えます。

私が生まれた頃と比べると、一人当たりのエネルギー消費量は飛躍的に伸びています。医者だった母親が往診にでかける際に使っていたのは、人力車でした。そう昔の話ではありません。何せまだ私が生きているのですから。その頃は、まだ牛も労役に使われていました。牛がエネルギー源だったのです。

こういう話を、今の若い人に話しても信用しません。すべてを石油が肩代わりして、やってくれるようになったからです。どんどん石油を使う量が増えることで、日本は「経済成長」を成し遂げました。

もちろん、石油が無尽蔵にあれば、エネルギーのことを心配しなくても良いでしょうが、そんなことはありません。代替エネルギーにも限界があります。

こういう状況で、さらに経済成長、つまりエネルギー消費の増大を目指そうというのが正しいのかどうか、考えてみれば明らかでしょう。

もちろん、経済をどんどん縮小させていくべきだとは思いません。そこは、程度の問題になってきます。ただし、日本の場合、これから人口は減っていくため、経済が多少停滞しても成長と同じことになります。一人当たりのエネルギー消費量は同じか、増える可能性があるからです。

エネルギーの限界

現在の経済の低迷は、基本的に政治のせいではありません。世界中の先進国が不景気なのですから。高エネルギー消費社会というのは、親の遺産を食い潰しているようなものです。エネルギーの限界が見えてきたら、これまでのようにいかないのは当たり前のことです。エネルギーに頼りきってしまわずに実直に働かないといけないよ、ということになる。

右肩上がりの経済というものは、右肩上がりのエネルギー消費が前提となっているわけで、その前提が崩れてきた以上、今のようになるのは自然なことです。

メタンハイドレートなど新しい資源によって、この高エネルギー社会を維持しようとしていますが、それだって一〇〇年も保たないでしょう。シェールガスは一〇〇年保つと言われています。ということは二〇〇年先はわからないということでもあります。

二〇世紀の終わりに、多くの科学者を対象にした調査をまとめた『The End of Science（科学の終焉）』という本が出版されました。ここで科学者のほとんどが「科学はすべてを解明しない」と答えています。

アインシュタインの時代には、こんな考え方はほとんどありませんでした。しかし、すでに科学自体が行き詰まっていることを科学者も自覚しているのです。

もちろん、これからも様々な新発見はあるでしょう。しかし、ふつうの人がふつうに考える科学はもう天井をうっている。そう大きな進歩は期待できません。

そうなると経済も飛躍的に伸びることは考えづらい。産業革命以来の右肩上がりの成長は終わってきている。ローマクラブというスイスにある有名なシンクタンクは一九七二年には「成長の限界」と言って、そのことを表明しています。資源の限界がもうすぐ来る、と。これがきっかけで原油の価格が高騰して、オイルショックが起きました。

その後、石油はもう少し長持ちすることがわかりましたが、それでもこの先たいして保つわけではありません。

それにもかかわらず、「もう成長は限界です」と言う政党はありません。右から左まで皆んな、「うちがやれば成長できます」と言います。すべての政党が、経済成長が善である、という前提に立っています。これは選挙で当選しなければならない、という事情も関係しているように思えます。

しかし、現実を冷静に見た場合、本当に考えるべきなのは、「どの程度までのエネルギー消費ならば、みんなが我慢できるのか」ということのほうなのです。それについて政治家は真剣に考えていません。

人口減そのものが大問題だ、と言う人もいます。少子化に歯止めをかければ経済成長につながる、と。しかし、これにも賛成できません。池田清彦さんは、生態学から考えれば日本にはまだ人が多すぎる、と言っています。私も国土面積などを考えれば、六〇〇〇万～七〇〇〇万人くらいが適正なのではないかと考えています。

「これから団塊の世代が老人になって長生きをする。若い人の負担がたいへんなことになる。人口減がいいなんてバカを言うな」と思う人もいるのでしょう。たしかに、当分は団塊世代の老後を支えるために、若い人の負担が増えるという計算があります。しかし、それはせいぜい三〇年ほどの話で、その後は自然に解消される問題です。つまり三〇年の我慢に過ぎないのです。

しかも、本当に団塊の世代がみんな長生きするかだってわかりません。なにか悪い病気が流行《はや》って、大量に死んでしまう可能性すらあるのです。ＳＦの話ではなく、そういうことは生物学的には十分ありえる話です。

現実的に考えれば、日本はこの先三〇年間をどう乗り切るかを考えたほうがいいでしょう。その手当ては考えるべきですが、何も一〇〇年先の年金を考える必要はないのです。その時には今いる人はほとんど死んでいます。

それよりも、すぐに真剣に考えないといけないのは、エネルギーの問題や水資源問題なのです。これらは取り返しのつかないことになる問題だからです。

日本は水が潤沢だと言われていますが、実は日本人は、すでに限度近くまで水を使っています。このまま調子に乗って地下水を使いすぎると、地盤沈下など影響が出てくるはずです。地下水には規制がないから、余計に問題です。

水が石油と異なるのは、循環するから、当分は無くなるようなことはありません。人口が減るから、すぐに枯渇などということにはならないでしょう。

それでも、こういう問題については、継続的に調査はしていかなければなりません。実際には、個々のデータはたくさんいいものがあるのですが、それを統合してチェックする機関が日本にはないのです。

長期的な議論をする場が必要

こうした長期的テーマを国家レベルで議論するためには、参議院を変えてしまうのが一つの手ではないかと思います。よく言われるように、今の参議院は、衆議院と違いがありません。任期が長いといっても、結局は選挙で票を取ることに必死になるので、長期的な議論ができない。しかし、何十年も先のことを見越して議論をする機関は必要です。

短いスパンで行われる選挙での争点は、大きな問題ではありません。より大きな視点で長期的に考えるべきテーマは別にあるのです。

こうした大きなテーマを考えるという役割を、参議院が担えばいいのではないでしょうか。政局と関係なく、長期的にエネルギー、海や山など自然の問題などを考える。その場合、選挙で票を集めることはむずかしいから、昔の元老院のようにする。元総理のような人を揃えて、その下に優秀な実行部隊を置く。議員一人ひとりをシンクタンクのようにして、その集合体としての参議院にする。

参議院を国政のアドバイザーのような位置づけにするのです。議決をせずに、意見を送付するだけでいい。一見地道でも、そういうことを継続して何十年もやっていれば、そのうち「参議院の意見は長い目で見れば正しい」と理解されるようになるでしょう。

そういう機関があったら、「原発の電源は防水にすべし」というルールだって徹底されていたかもしれません。

衆議院と同じようなことを議論し、同じような喧嘩をしているような現状は明らかに無駄です。

議院が二つあったほうがいいというのは議会制の知恵なのでしょうが、現状ではその無駄、弊害のほうが出ています。おそらく実際には国会議員の中でもそういう調査とか長期的議論に向いている人もいるはずです。こういうテーマについて、参議院がきちんとシミュレーションをして、長期的な議論をすればいい。選挙に使う無駄なお金も減るし、いいことばかりではないでしょうか。

第5章　日本のシステムは生きている

デモをどう考えるか

原発事故以降、原発に反対する人たちが増えました。一時期は、首相官邸前で大規模なデモが毎週のように展開されていたようです。そこで「原発も私たちの一部でしょう」と言ったら、怒られるような気がします。

もちろん、本音で言えば「俺とは関係ない」と言いたくなることもあるでしょう。私も、いつの間にこんなに増えたんだ、と思っているくらいです。それでも、やはりたどっていけば、自分とつながっている問題だと考えないといけない。

そもそも日本人は、あらゆるものはつながっているという感覚を無意識に持っています。だからこそ、天皇陛下という一人の人間が、「国民の統合の象徴」となりえるのです。

天皇陛下が象徴だということを私たちの多くが、素直に受け止めています。しかし、日本にはさまざまな人がいるのに最終的に一人に象徴させるというのは、冷静に考えてみればかなり乱暴な話です。それなのに日本人の多くは、そのことに特に違和感を持っていません。「あらゆるものはつながっている」という感覚が前提にあるからです。

多くの人が忘れてしまっている（もしくは知らない）でしょうが、かつて日本人には「誕生日」がありませんでした。もちろん生まれた日はそれぞれ存在していて記録はしますが、それを祝うようなことはしなかった。なぜなら全員一斉に、正月に年を取ることになっていたからです。

数え年というのは、そういうことです。一二月三一日に生まれても、お正月になれば「二歳」になります。生後たった二日でもそうなります。

これはつまり、全員が一つにつながっている、天皇陛下を頂点にした擬似家族だ、ということです。

数え年はなくなりましたし、そうした戦前の慣習、法律は変わってしまいました。しかし、どこかでこの擬似家族的な意識は残っているのではないでしょうか。

デモへの違和感

原発に反対するためにデモを行うという行為そのものは、意見を表明する手段として理解できなくはありません。しかし、正直に言えば個人的にはそういう手法には、あまり興味が持てない。主張の内容うんぬん以前の問題として、昔からデモのたぐいに興味がないのです。ちょっと違和感がある、と言ってもいいでしょう。

簡単に言ってしまえば、そういう形の「社会を変える運動」というものに、ずっとかかわらないようにしてきました。

一九六〇年代の安保闘争の時には、国会にデモが押し寄せている中、岸信介首相は「後楽園球場は満員だ」と言って、安保条約の締結を進めました。騒いでいるのは一部の人たちだけで、多くの人は関心がない。大事なことは、こちらが考えて決めるのだ、ということです。判断の是非は別として、少なくともその頃の政治家には、「大事なことは俺たちが決める」という覚悟、もしくは信念があったのでしょう。

デモに違和感を持ってしまうのは、私の育ちとも関係があるように思います。

私はどこかに「自分は新参者だ」という気持ちをずっと持っていました。それは今でも残っています。世間、社会は自分よりも先にできあがっていて、世の中の約束事はすでに決まっている。そこにあとから入ってきた者は、どういう振る舞いをすべきなのか。幼い頃、若い頃は特に、そこがずっとわからないでいました。これは私にとって、ずっと考えざるをえないテーマでした。

いつも「俺はこんなところにいていいのだろうか」というような疎外感を持っていたのです。世間に対する居心地の悪さ、ともいえます。

「自分はふつうだ」と思っている人は、「自分はこの世の中に生きていて当たり前だ」と思える人です。こういう人は世間とのずれを感じません。

「こんなところにいていいのだろうか」という私の居心地の悪さは、生い立ちに関係しているように思えます。四歳の時に父親を亡くし、片親で育ったことが関係しているのでしょう。

今はある程度改善されたのかもしれませんが、当時、片親というのはかなりのハンデでした。特に、うちのように母親だけというのは、余計にそうです。

就職ひとつとっても、大企業などは片親の子弟を取らないような風潮がかなり露骨にあった。私がサラリーマンになれないと思った理由の一つは、それでした。だから医者のような仕事を目指さなければならなかったのです。

どうも居心地が悪い。世の中に、はまっていない。そんな気持ちをずっと持っていました。

世間というものはすでにある。でも、自分は世間というメンバー制クラブのメンバーシップを持っていない。おそらく、世間に馴染んでいる人の多くは、自分がメンバーシップを持っていることに疑いを持っていない。

居心地の悪さを抱えているか、自然と世間に馴染んでいるか。どちらのタイプかで世の中の見方は変わってきます。

連帯は怪しい

「馴染めない」側にいる私は、自分自身が世の中のことには無知だという意識を強く持っていました。世の中には、ぴたっとはまっていて、何の疑いもなく暮らしていける人たちがいる。きっとその人たちは無意識に世の中のことがわかっている。

それをうらやましいと思ったわけではなく、ただ、世の中はそういう人が占めているのだろう、くらいに思っていました。

多少、その違和感がなくなったのは、大学に入ってからでした。

虫好きの友人たち数人と田舎に行ったときのこと。旅館に泊まる折衝《せっしょう》などをする段になると、「お前がやってくれ」と言われるようになったのです。

虫好きなんて、今でいうところのオタクばかりです。あまり社会性がありません。そもそも当時の若者は今と比べれば奥手が多かったのですが、虫好きは、その中でも人と口をきくのが苦手なやつらの集まりです。

折衝役を頼まれるということは、その中では、私はまだマシなほうだと見なされていたようです。だから仕方なく、私が社会との窓口役をやらされたりもしたのです。

それでも、「虫オタクの中ではマシ」なだけで、別に世間に馴染めていたわけではありません。自分が結婚して家庭を持つなんてことも現実的ではない、と思っていました。七〇歳をとっくに過ぎた今でも、世間への居心地の悪さは消えていません。だから大学の学長をやれなどと言われても「やれるわけない」と思ってしまいます。

講演をし、時にはテレビにまで出ている私の姿をご覧になれば、「世間とうまくやっているじゃないか」と思われるかもしれません。しかし、自分では根本的な性格は変わっていないと思っています。大学時代の友人からは今でも、「お前が人前でしゃべるようになるとはなあ」と言われます。

デモに話を戻せば、参加者は、「あらかじめの連帯感」をどこかに持っている。そういうものが私にはないから、仲間に入れないと思う。それも根本的にはルールがわからないからです。彼らもメンバーのルールを明文化できているわけではないが、無意識に理解できているのです。

連帯して何が悪いのか。そう言う人もいることでしょう。

でも、つい思い出してしまうのが、戦争の時のことです。連帯といえば、あんなに国中で連帯していることはありませんでした。あの連帯の強さを考えると、その後の連帯はどれも生ぬるいものです。

あの時と今度は違うのだと言われても、どこか似て見えてしまいます。

馴染めないから考える

すんなり馴染めないからこそ、私は世間を関心の対象としてきました。そして、わからないからこそ、何とかそのルールを明文化したいと考えた。

面白いのは、そうして考えたことを日本に住むアジアの人たちに説明すると、すごく理解してもらえたことです。彼らも日本ではアウトサイダーであり、世間のメンバーにはなれません。だからこそ理解しやすいのでしょう。

彼らには、こんな説明をしてきました。

「日本には世間というものがあります。世間のメンバーではない人はメンバーとは別の扱いを受けます。しかし、これは差別意識の産物ではありません。あくまでも会員制クラブのメンバーかどうか、ということです」

こういう感覚は日本人にはかなり共有されているのですが、アジアのほかの国はあまりそういうふうに社会を見ていません。だから日本社会に戸惑うのです。

日本人自身も、意識的に会員制クラブを運営しているわけではありません。あくまでも無意識です。だから、アウトサイダーである私は手さぐりでルールを見つけて、それを書くわけです。

世間に折り合いがついていないから、よくわからない、と言うと、「だからお前は虫でも取っていろ。あとは任せておけ」と言う人もいるでしょう。

実際に、そのように放っておいてくれて、こちらはこちらで生きていける、という状態ならばいいのです。それが「自由」というものでしょう。

ところが、現実にはその「自由」はすぐになくなります。戦前がその典型です。徴兵制がしかれて、嫌でも軍隊に引っ張られていった。

それは現代でも同じようなものです。政治問題、社会問題に対して「お前は親○○か反○○か」と明確な立場を決めろと言ってくる。「とりあえず虫を見ていていいよ」とは言ってくれません。これが、うっとうしい状況を作ります。

政治問題化の弊害

原発の問題では福島の事故以前に、なぜもっときちんとした安全対策ができなかったのか、ということが議論されます。私は、その最大の原因は、原発が政治問題になってしまったことだと思っています。

政治問題化したために、「是か非か」という対立構造が確立されてしまった。建設をするかどうか、というのではなくて、すでにそこにあって稼動しているものの安全性を議論する場合、「是か非か」では、まともな議論になりません。いくら「危ないからなくせ」と繰り返しても、電力会社が「わかりました」と簡単に言うはずがない。

「将来的になくす」ということも、もちろん選択肢だったのでしょう。しかし、その前に考えるべき安全性の問題は、政治とは関係ありません。純粋に技術の問題です。

反対の人も賛成の人もいていいのです。しかし、とりあえず誰にとっても重要なのは、「どうすれば今よりも安全になるか」ということだったはずです。それを考える上では、政治的立場は関係ありません。「津波が来たときに、この防波堤でいいのか」「浸水したときに、この電源は耐えられるのか」といった具体的な問題を検討するだけです。

あの事故のときに呆れたのは、非常用電源が防水になっていなかったことでした。今どき、ケータイでも防水加工を施してあるのに、その程度のことをしていないのは、明らかに手抜きです。そして、こういうことは技術的な問題です。

ところが、「危険だ。存在を絶対認めない」という反対と、「安全だ。絶対に必要だ」という賛成がぶつかりあうだけでは、そうした実質的な議論に発展しない。

その構図は、事故後の今も変わっていないように見えます。

なんでもオープンにして議論すればいいのだけれど、そうはならない。すぐに対立構造ができてしまう。こうなると、結果として攻められる側は情報をオープンにできなくなる。オープンにしないことを正当化しているのではありません。ただ、人間の心理としては当然そうなる、ということです。

そして政治問題化して緊張した状況では、なにか発言するといつも「どちらの味方なのか」だけで判断されるようになる。どちらでもない、という立場が許されなくなってしまうのです。

福島第一原発事故の直後は、かつて東電と仕事のつきあいがあったというだけで、責められかねない風潮がありました。私も東電に頼まれて仕事をしたことが何度かあります。それを責める人には、「あんたも電気使っているだろう」と言うしかありません。

私のことは別としても、気がかりだったのは、誰かを糾弾する風潮が強くなることでした。これまでにかかわってきた人を吊るし上げていくと、彼らは正直に物を言わなくなる。そのうえ、これからその世界に進もうという人材が減ってしまう。

糾弾をして一時的に気分がよくなる人もいるでしょうが、結果としては誰の得にもなりません。福島や東海村と同じようなことが起きる可能性が高くなるわけです。知識の足りない人がかかわらざるをえなくなるのですから。

つまりこれからの問題は、この分野の研究者がいなくなっていく怖れがあることです。今のように原発関係者を悪人のように糾弾する風潮が続けば、若い人が原子力の研究に進まなくなるかもしれない。「僕は原発の研究をやりたい」と子どもが言った時に、今の親は止めるのではないかという気がします。でも、そうなっていくと結局、誰も詳しい人がいなくなってしまう。こんなに怖いことはありません。原発は動かしていても、止めていても、誰かが面倒を見なくてはいけないものなのです。仮に止めてしまうにしても、安全に保つためには人材が必要です。

ところが、肩身の狭い思いをすることがわかっていては、なかなか人も集まらない。その意味で、残念ながら事態は悪い方に進んでいるように見えます。

安保の頃

政治問題化すると、議論はおかしなほうに行く。これは若い頃から実感としてわかっていることです。学生時代に見た安保闘争もそうでした。

日米の安全保障問題のもめごとと、大学が休校することとは何の関係があるのか。まったく関係ないのです。賛成でも反対でもなく、「どうでもいい」と思っていた私や友人たちは、休みの間に麻雀をやっていました。麻雀牌を「アンポ」と言いながらツモり、「ハンタイ」と言いながら切る。闘っている学生たちが見たら、とんでもないことでしょうが、私や周囲はそんな調子だったのです。

この時は、警官隊と衝突して東大生の樺美智子さんが亡くなるという悲劇も起きました。運動をしている人たちはたいへんな憤りを見せていました。でも、当時、私は「命をかけてまで反対運動をやらなくてはいけないのだろうか」と思ったものです。

当時は自治会が反対派だったので、みんなでデモに行こうと言う。別にどっちでもいいけれども、あんなに真剣に言うのなら、つきあいで行けばいいやと思い、そう言うと、別のやつが立ち上がって「それでは困る」と言う。とにかく面倒くさい。

最後に、その場にいた年長者が一言。

「そんなことやったって、本当に国の政策が変わるわけがないでしょう」

それでようやく、なんとなくその場が収まったことを憶えています。

世間を良くしたい、と本気で考えるのならば、その人は、まず世間に入らなくてはなりません。そうすると、色んな人がいる、色んな考えがあるということが、よくわかるはずです。頭で考えた通りに簡単に進むわけではないこともわかってきます。「これは厄介《やっかい》だ。たいへんだ」ということも実感できるでしょう。多くの人は、それがわかったくらいで大体一生を終えてしまう気もします。

それでも自分の一生の範囲でできることをしたほうがいいのです。そして、実際にどうすれば世間を良くすることにつながるのか。それについては、また後で触れることにします。

思想は無意識の中にある

デモによって異議を唱える。直接、民意を伝える。そうした行動の背景には、西洋式の民主主義をよしとする思考があります。「市民の意見を反映させよ」というわけです。

しかし、そもそも、西洋式の民主主義がいいものだということを前提としていいのか。そのあたりは少し疑っておいたほうがいいのではないでしょうか。

イギリスの進化論の学者が日本中を回って意見を聞いたあとに、こんなことを言っていました。

「日本人は集団主義だと思っていたらとんでもない。こんなに勝手なことを言っている人ばかりだとは思わなかった」

イギリスでは進化論の祖であるダーウィンにケチをつけるなんて、とんでもないというのが常識に近い。ところが、日本人にはそんな遠慮や配慮はありません。百家争鳴の状態です。だから、その学者は日本の状況に驚いた。

日本人は、具体的な生活に関係ないことは何でも言えると思っています。生物がどう進化していようが、そんなことは生活に関係がない。だから、どういう解釈をして議論をしても構わない。これがふつうの考え方なのです。

日本にとって必要な思想は、全部、無意識のほうに入っているのです。

会社の中で、なにか新しい提案があったとします。それをつぶされる場合には、よくこんな台詞《せりふ》が出てくるはずです。

「それはまずいでしょう」

それがなぜ、どういう理由で、どのへんがどう、まずいか。その理屈は、いちいち言語化されない。誰も説明しない。でも、「まずい」のは「当たり前」なのです。それは無意識で共有されている。

思想というのは一種の理想であり、現実に関与してはいけない。これが、日本における思想の位置です。現実を動かしているのは無意識のほうにある世間のルールです。世間のふつうの人は、「思想家」と称する人たちの思想について、どこか現実離れしたものだと受け止めていることでしょう。それは性質上、当然のことなのです。

もちろん、思想の中には現実に生かしたほうがいいようなものもあります。戦後、それを上手に吸い取って現実化してきたのが、自民党です。別に自民党をほめているのではありません。自民党は世間の代表だ、という意味です。

この構造は、日本から無くすことはできない。そのことを私はかつて『無思想の発見』（ちくま新書）の結論として書きました。

日本では、変に思想が突出するとかえって危ないことになります。それが太平洋戦争につながったわけです。日本で思想が先に立って成功した稀有《けう》な例は、明治維新くらいでしょう。

世間の暗黙のルール

日本人の普段の生活は、世間にある暗黙のルールで動いている。だからその分、普段の生活にさほど関係のないことについて、百家争鳴で言い合って構わないのです。

よくヨーロッパに比べて、日本の街並みには統一感がないと言われます。一軒、一軒のつくりには問題がないのだけれど、全体の統一感には欠ける。これが日本ではふつうです。これはヨーロッパなどでは許されません。だから街並みに統一感がある。

それに対して、日本の家の外見がバラバラなのは、少なくとも家に関して日本人は地域に合わせようという感覚がとても薄いからです。それは、おそらく世間の暗黙のルールによる縛りが、あまりにきついゆえの反動でしょう。

世間にはきちんと合わせていくけれども、代わりに自分の土地の中では何を勝手にしてもいいだろう、ということです。これは先に述べた「思想の自由」と同じことです。日本では、土地に関する私権が強すぎるとされています。だから道路や空港をつくろうとしてもなかなか進まない。これも同じことが理由のように思います。

その点から考えていくと、日本は昔から民主主義の国だったとも言えるのです。山本七平は「『大言海』には、『下克上』とは『でもくらしい』ということと書いている」と紹介していました。

明治憲法では、どの部局も勝手ができないようになっていました。大臣が一人辞めたら総理大臣も辞めなくてはいけない。それを楯にとって軍隊が勝手をやったわけです。でも、軍隊だって勝手にはできない。一箇所に権力が集中しないようになっていた。だからファシズムは成立しない。このことは、『未完のファシズム――「持たざる国」日本の運命』（片山杜秀・著　新潮選書）を読むとよくわかります。

江戸時代も同じで、合議制がベースになっていました。将軍は決して独裁者にはなれなかった。一番権力が強かったのは徳川吉宗でしょうか。紀州という遠方から幕府に入ってきたおかげで、過去のしがらみが少ないからこそ、独裁的になれたのかもしれません。それでも西洋の独裁者とは比べ物になりません。

そういう国の民主主義と、王が強い主権を持って統治していたヨーロッパで生まれた民主主義を同じに考えることはできません。

日本の君主は、ヨーロッパの中世の王様とは違います。日本で独裁者といえば織田信長くらいですが、支配できていたのは近畿だけですし、最後は殺されてしまったのはご存知の通りです。

実は、日本ではずっと民衆の力は強かったのです。なぜ幕府が一揆を禁止したのか。それが治安を乱すとか悪いことだという以前の話として、「しょっちゅう起きること」だったからです。なにか気に入らないことがあると、一揆という手段を取ることができた。少なくとも、それで皆殺しにあうようなこともなかったのです。だから幕府は、禁止しなくてはならなかった。

江戸の不思議な人材登用

山脇東洋が最初の解剖をしたのは一七五四年でした。その頃、医者が偉い人を診察するときには、直接手を触れることは許されず、手首に糸を巻いてもらい、糸のもう一方を手に持って「お脈拝見」と言っていた。そういう時代です。この点だけを見ると、「身分の上下が厳しくあったのだな」と思ってしまうかもしれません。

ところが東洋の著書を読むと「桀《けつ》の内臓、尭《ぎょう》の内臓、蛮人の内臓、すべて同じ」と書いてある。桀、尭とは王の名前で、桀は中国史上の悪王の典型、尭は聖人とされるほどの良王の典型です。つまり本音の部分では「人間の体はみんな同じだろう」と考えていた。しかも、その考えを平気で書き残している。

なぜこういうことになるのか。ここにも日本人の特性が表れています。タテマエと実際の生活とは離れているのです。

身分制度ですら、ガチガチに固定的なものではありませんでした。そういう江戸時代の雰囲気は、『天地明察』（冲方丁・著　角川文庫）を読むとよくわかります。江戸時代に、「国家プロジェクト」として新しい暦が作られた。そのプロセスを描いた面白い小説です。

主人公の武士は、決して身分が高いほうではありません。しかし、算術が得意という長所を持っていました。この人が、暦を新しくするという幕府の大プロジェクトの責任者に引き上げられて大事業を達成する。

歴史の教科書では「この年に暦が変わった」としか書いていないけれども、かかわっているのは保科正之、水戸光圀とそうそうたるメンバーです。

暦の作成は今でいえば、パソコンの新しいシステムを作るようなものです。それ次第で様々なことが変わる。『天地明察』での主人公の抜擢というのは、マイクロソフトのような仕事を幕府が主導して進め、しかも有能な人材をきちんと登用した、いわばビル・ゲイツを政府にスカウトしたようなものです。

江戸幕府を動かしていた人たちは、タテマエの身分制度に縛り付けられているようなバカではありません。彼らはとても高度な社会をつくっていました。

暦がどれだけ大きなビジネスにつながるかもわかっていた。そして、そのビジネスを成功させるために、幕府は臨機応変に現実的な手を打っているわけです。もちろんタテマエでは、身分の上下とかをあれこれ言っていますが、それはそれ、これはこれです。

そもそも、その幕府そのものが、臨機応変な人材の登用によってつくられていた。田沼意次、柳沢吉保、新井白石等々は、本来はそんなに偉くなれるような家柄ではないのに、スカウトされて地位を得ました。新井白石なんて、父親は関東の潰れたような藩の家臣に過ぎない。本人の書いた『折たく柴の記』を読むと、一〇代の時に、政商の河村瑞賢の家から声がかかったエピソードが紹介されています。うちの末亡人と結婚してくれれば支度金をはずみます、というのです。

億万長者が、急に在野の儒学者に声をかけたわけです。無名の草野球選手が、巨人のドラフト一位指名を受けるようなものです。どうして、そんな人に目をつけたのか。ネットも何もない時代に、若い優秀な人の情報が伝わっていた仕組みはわかりません。しかし、たしかに人材については、きちんと情報が伝わるシステムがあったのです。おそらく河村家は日本全国に網を張り巡らせて、跡取りを任せられるような人材をずっと探していたのでしょう。

江戸は、有用な人材を必要としていた時代でした。すなわち人間の価値、才能の価値が高かった。だからこそ情報網が発達していたのでしょう。

政治を見るときに大事なのは、人の能力をどう使っているかという点です。江戸は各藩が商業生産に乗り出していたころは、人材を非常によく使っていた時代でしょう。そこは今よりも、よほどうまくやっていた。

現代において、あの頃よりも適材を登用して、適所に使っているといえるでしょうか。その意味では今の人のほうが、人材ということについて、本気ではないようにも思えます。少なくとも、今の日本に江戸時代よりも優れたネットワークがあるとは思えません。そもそも人間関係が希薄になっているということは、誰もが思い当たるところでしょう。

変人もまたよい

人材登用の面以外でも、江戸時代のシステムの優秀さが感じられることがあります。たとえば、世間から外れた人の「枠」もきちんとあった。このあたりがよくできている点なのです。

江戸の寛政年間には「寛政の三奇人」と呼ばれる人がいました。林子平（経世家）、高山彦九郎（尊皇思想家）、蒲生君平（儒学者）です。たとえば高山は、将軍の世にあえて熱心に尊王思想を説いた。明らかに変わり者です。

では、それに幕府からおとがめがあったかといえば、そんなことはありません。単に「あいつは変わっている」「あいつは別」ということで済んだわけです。「奇人」というカテゴリーに入れてしまった。

こういう寛容性、自由が江戸時代にはあったのです。変わった人は人なりに、世間でポジションを得ることができた。

ところが、こういうシステムは鎖国が前提でした。外国が入ってくると維持できません。外国から多少珍しいモノが入ってくるくらいであれば、問題はなかったのです。しかし、ヒトが入ってくると厄介です。それまでの常識を変えなくてはいけなくなってしまう。変えないという選択肢もあったのかもしれませんが、少なくとも日本はそういう道を選びませんでした。

それまでのシステム、つまり社会制度や法律を変えるのには時間がかかります。開国によって、一気にそれを変えましたが、生身の人間はその変化にはついていけません。当然、トラブルが起きる。それで起きたのが攘夷運動だったのでしょう。

それまでうまくいっていたことが、うまくいかなくなった。ならば、「要するに外人をいれなければ、うまくいくんだろう」そういう考え方に進んでいきました。

結局、今も同じようなもので、ＴＰＰ反対論にまでつながっています。

異質のものが入ってきたときに、どう社会が上手に受け流すか。これは日本が近代以降、ずっと一〇〇年以上抱えていた問題です。そのせいで戦争にまで突入した。

外国とどう接していいか、どう取り入れていいか、その答えがわからないままです。

『昭和陸軍の軌跡――永田鉄山の構想とその分岐』（川田稔・著　中公新書）という本を読んで、よくわかったのは、陸軍の統制派とされる人たちの思考法でした。彼らは当時、「欧米諸国と対抗するには、北支（中国）の資源が必要だ」と考えた。それで中国に進出していった。

しかし、よく考えてみれば、なぜ「欧米諸国に対抗」しなくてはならないのか。また、中国というものを一体どう考えていたのか。この二つの疑問がわきます。

しかし、当時の統制派はそういうことは考えないで、「厄介だから占領してしまえ」となってしまった。そういう事情を中国はわかっているから、「勝たなくてもいいから、負けなければいい」というスタンスで臨んだ。あえて自国民を犠牲にしてでも、日本軍を大陸に引っ張り込んで、戦争を長期化するという戦略を取ったのです。あの戦争が大陸で延々と続いたのは、当時の中国の狙いにはまったからです。

そのため戦争は長引いたし、それどころか、いまだにケリもついていない。尖閣諸島を巡る問題を見れば明らかです。

大きな視点でいえば、近代以降、日本の社会はずっと同じ問題を解決できないままなのです。すなわち「新しい他人とどうつきあうか」。

少なくとも「奇人」「変わり者」の扱いにおいては、江戸時代のほうが上手でした。「村八分」も良くできたシステムです。どんな鼻つまみ者であっても、すべてのことから排除するのではなく、「火事と葬式は別」ということにしていたのですから。

日本の自殺は多いか

日本の特殊性を示す例としては、自殺の問題もあげられます。日本は自殺が多すぎる、といった話ではありません。むしろ逆です。

自殺の研究の本には、自殺の要因には一次、二次、三次まであると書いてあります。一次要因は本人。生きものにとって自殺するというのは矛盾した行動です。本来ならば本能でなるべく生きようとするのに、わざわざ自ら命を絶つのですから。

次の要因が社会的要因。いじめなども、その一つです。いじめられても死なない人がほとんどなのは、これが二次要因だからです。

三次要因が、意識できない社会的要因。たとえば一人当たりのＧＤＰと自殺率は比例することがわかっています。一人当たりのＧＤＰが高くなるほど、自殺は増えるというと、「逆なのでは?」と思われるかもしれません。GDPが低くて、景気が悪いと自殺が増えるというほうが、一般的には常識のように思われがちなのですが、統計を見る限り実はそうではない。一人当たりのGDPが低いエジプトでは、自殺はほぼゼロです。

なぜそんなことになるのか。理由として考えられるのは、全体のGDPが高くなると格差が拡大するために、相対的な貧乏が増えるということです。実際に、格差が広がった国では自殺率が高くなるようです。要するに、貧乏とは絶対的なものではなくて、周りに金持ちがいるときに強く感じるものだということでしょう。

ただし、こうしたことと関係なく自殺率が極めて高い国もあります。それは旧東欧諸国です。しかし、これも鉄のカーテンの向こう側(西側)との格差を考えれば理解できます。こうした説はすでに一九世紀にデュルケムが唱えていました。当時、西欧諸国はみな経済発展をしていましたが、自殺も増えていたのです。

最近、その説を再検証した『豊かさのなかの自殺』(クリスチャン・ボードロ、ロジェ・エスタブレ・著　藤原書店)という本が出ました。この本でも、やはり一人当たりのGDPと自殺率は比例するという結論になっています。

以前は「不況で苦しいから自殺者が増える」と私も考えていましたが、この本を読むとどうもそうではない、ということがわかります。だから巷間よく言われる、「不況のせいで日本人の自殺が増えている」という考え方は少し違うのではないか、と思います。

それでも自殺は増えているじゃないか、と仰《おっしゃ》るかもしれません。しかし、この本の説にのっとれば、むしろこれまでの日本は世界的に見た場合、高いＧＤＰに比して自殺が少なかった、という見方が成り立ちます。人口やＧＤＰの高さから考えると、もっと自殺者が多くても不思議はなかったのが、どこかで歯止めが利いていた。ところが、それがだんだん「世界基準」に追いついてきた、と捉えるほうが正しいように思えます。

つまり、考えたほうがいいのは、「日本は自殺大国だから貧困対策をとれ」といった単純なことではありません。むしろ、「なぜこれまでは高度成長をしていて豊かな国だったのに、自殺が少なかったのか」「それがなぜ最近になって増えてきたのか」ということです。

その理由はまだよくわかっていません。国際的な基準から外れた変な国だったのはたしかですが、その理由がわからないのです。

しかし、ここでも、おそらく私たちが意識していない世間のルールが関係しているのではないでしょうか。

世間といじめ

子どもの自殺の場合、経済格差などはあまり関係がないかもしれません。よく、いじめによる自殺が問題になります。どうやったらいじめをなくせるか。NHKの番組で、そんなことを聞かれたことがありました。

あんなものなくなるわけがない。それが結論です。

法律で縛ったり、教師が説教をしたりしても、なくなりはしません。

むしろ考えておくべきなのは、いじめられたときの対処法です。なくすことを考えるよりは、いじめられた子が自分の逃げ場所をつくれるようにしたほうがいい。世界を広げるのです。学校にいるのがつらければ、山に行って虫取りでもすればいいのです。そういうときに自然という逃げ場があるのとないのとでは、大きな違いがあります。

軍隊のいじめが過酷なのは、逃げ場をつくれないからです。つらいからといって、裏山にでも行ったら脱走兵になってしまう。敵前逃亡ならば死刑になる。

今の日本では、そこまでの状況は本来ないのだから、子どもは逃げてしまえばいいのです。

もちろん「加害者」「被害者」が明らかな、犯罪レベルの行為については別の対処が必要でしょうが、ふつうのレベルのものであれば、とりあえず逃げるのがいい。

この時も前提として、やはり世間は「自分」よりも先にあるものだと考えておいたほうが、気が楽なはずです。

「世間がどういう人で構成されているかは俺には関係ないんだから、いじめられても俺のせいじゃない」

自分に非があると思うとつらくなります。それならば、あくまでも世間の都合なんだな、と考えたほうが楽なのではないでしょうか。

もう一つ考えておいたほうがいいのは、自殺をする子どもの考え方の問題です。どこかに「自分の一生は自分だけのものだ」という考えが根底にある。自分だけのものならば、自分で処理するのも自由だ、という結論になってしまいます。これは大人が無意識にそういうことを伝えているのです。そもそも多くの大人が、「自分の人生は自分のものだ」と勝手に思っている。それが子どもにも伝わる。

本当に子どもの自殺を減らしたいのならば、できるだけ「いじめが起きるのは君のせいじゃない」ということと、「君が死ぬと周りの人がどれだけ悲しむか」ということを暗黙のうちに理解させなくてはいけません。

逆にいえば、普段から親や周囲の身近な人からの愛情を強く感じていれば、それだけ死ぬことを思いとどまる力は強くなるはずなのです。

自殺が増えていったことと、世間のしばりがゆるくなったこと、人間関係が希薄になっていったこととは関係があるのでしょう。

第6章　絆には良し悪しがある

絆のいい面を見る

関係が希薄になってきて、人間がバラバラになっている、というのは随分前から感じていることでした。たとえば大学や会社の慰安旅行の類がなくなってきた。これもまた、「個」を立てようとした結果です。

東日本大震災の後、「絆」という言葉がよく使われ、その大切さが改めて説かれるようになりました。その一方で、そうした風潮への違和感を口にする人もいました。「絆」という言葉はなんとなく気持ち悪い、偽善的だ。そんな反発をおぼえたようです。

私はその頃、これをきっかけに絆の大切さを考えるのは結構なことじゃないか、と思ったほうでした。たしかにケチをつけようと思えば、いろいろ言えることでしょう。しかし、そういうことはあまり気にしないようにしています。文句を言えばキリがない。むしろ、そのいい面を考えていけばいいだろう、と思ったのです。

　絆の問題が、一番わかりやすく表れたのが、親子の関係の変化です。親子関係は、子どもが社会に出てからの人間関係の基本にもなります。その絆が明らかに薄くなった。

　以前から気になっていたのは、団塊の世代の人々がしばしば、「老後は子どもの世話にはならない」と言っていることでした。親孝行といった道徳をなくしていけば、当然、そういう考え方になります。「私は親孝行をしない。よって子どもも私に孝行する必要はない」となるからです。

　でも、体が動かなくなれば他人に迷惑をかけざるをえません。それでいいのです。世の中には元気でも迷惑な人だって、たくさんいます。他人に迷惑をかけずに亡くなるのが一番いいというのならば、災害で死んで、遺体も見つからないのが理想だということになってしまう。いくら何でも、それはおかしいと思うでしょう。

「子どもの世話にならない」という考え方を持つ人は、それを一種の美学だと捉えているのかもしれません。しかし、社会全体がそういう考え方に向かうのは、ちょっと危ない傾向に思えます。それは、「子どもの世話をしない」ということの裏返しだからです。

要は、「人のことなんか知ったこっちゃない」ということです。これは実は人間関係において、手抜きをしているということです。このことは、「自分の体は自分だけのもの」という考え方にもつながります。そして自殺も「俺の勝手」になってしまう。

都市化が進むと、濃密な人間関係を持ちづらくなる。それは今に始まったことではありません。荻生徂徠《おぎゅうそらい》は、そのことを「江戸の人は旅宿人だ」と表現していました。給料が悪いとか何とか言って、すぐにいなくなる。根付かない。

代々、同じところで働くことが前提の社会ならば、自分だけではなくて子孫のことも考える。しかし、都市化が進むとそうではない人が増えていく。今でいう〝ノマド〟もそんなものでしょう。

でも、人間がどこからも自由であるなんてことはありえません。どこかに所属しないといけない。社会性動物であって、ロビンソン・クルーソーではいられないのです。若い人がそういうものを嫌がるのはわかります。私自身、そういう気持ちがなかったわけではないのです。

大学なんかよりも、もっと自由な境遇で働きたいとも思っていました。教授から「助手になれ」と言われたときも、最初は嫌がったくらいです。実際に大学で働き始めると、滅私奉公の世界そのもの。「騙《だま》された」と思ったものです。

個人主義は馴染まない

そもそも集団というのは煩《わずら》わしいものです。慰安旅行が、かえってストレスになることも十分あります。坂口安吾は農村の嫌らしさを書いていました。

そういう気持ちは理解できるのですが、集団への反発をもとに「個」を立てるほうばかりに進むと、今のような社会になってしまいます。「個」を立てるというよりは、社会の絆を解体する方向に出てしまう。どこか易《やす》きについてしまった、という面がありました。その状態への反動もしくは反省が、震災を機に突出して現れたのでしょう。

そのツケが、最悪の形で出ているのが、かつてはなかったタイプの犯罪です。

欧米は、「個」を立てる一方で、絆を維持する機能を教会が持っていたと考えられます。ところが、日本、特に都市では、そういう存在がないため、結果として新宗教に向かう人が増えてしまった。そういう宗教が全部否定されるようなものではないのですが、その中にオウム真理教もあったわけです。あんなものに絆を求めるくらいならば、昔ながらのふつうの絆があったほうがいい。そう考えるのがふつうでしょう。

日本の場合は、絆、共同体の代用品として会社が機能してきました。戦後かなりの間は、これがきちんと機能してきた。ところが、そこにも「個」を立てるようになっていった。業績主義、成果主義です。

しかし、その方向性が本当に正しいのかどうかは怪しい。そう多くの人が薄々感じているのではないでしょうか。成果主義を突き詰めていけば、当然のことながら、あまり仕事ができない人は不要になる。では、その人を追い出せばいいのか。その企業単体のことを短期的に見れば、追い出すことが正解でしょう。でも、それは結果的に社会に負担を押し付けることになる。自分たちの持っているマイナスを単に社会につけかえるだけです。

かつてのムラのような完全に閉じられた世界のことを考えてみればわかります。誰かを切ったり捨てたりしたとしても、ムラの中で、その人と常に顔を合わせなくてはならない。その気まずさや厄介さを考えると、そんなに簡単に切り捨てることはできない、と考えるほうがふつうでしょう。

うっかりすると、恨みつらみで事件を起こすかもしれない。今の日本は、かつてのムラ社会ほどではないにせよ、やはり半分くらいは閉じられたような社会です。そこでは、誰かを簡単にクビにすると、別の厄介を呼び込むことになりかねない。

アメリカのようにクビにしても平気、というようなことは日本では成り立ちません。土台の文化が違うのです。

企業が、構成メンバーの安定や幸せを求めるのならば、欧米式の業績主義、成果主義には無理があります。メンバー全員が有能だなんてことはありえないからです。ある程度は、できない人が必ず混じっている。そのことをまず認めなくてはならない。

そもそも仕事のかなりの部分は、できない人のフォローです。

近頃よく、「雇用の流動性」といったことが議論されています。「うちの会社では活躍できないけれども、よそに行けば活躍できる人材もいる。そういうミスマッチをなくすためには、流動性を高めたほうがいいのだ」といった理屈を言う人もいる。しかし、ここにはちょっとウソがあります。実際にはそんな人材は滅多にいません。こっちで活躍できていない人は、あっちに行っても活躍できない。本当にミスマッチのせいでくすぶっている人なんて、ごくわずかです。しかも、その程度のミスマッチならば、かなりの部分は社内の異動だけで解決できるはずでしょう。

こんなふうに人の使い方がおかしくなったのは、人を見る目を持つ人物が減ったからです。かつては上司が新聞読んでお茶飲んでいて、のんびりしていた。それで許されたのは、上司には人を見る目があるということが前提にあったのです。

不信は高くつく

濃密な人間関係に煩わしさはつきまとうとしても、大きなメリットがあることも事実です。人を信用するとコストが低く済むのです。それは大学紛争の時に痛感しました。相手を信用していないと、何でもいちいちたしかめなくてはいけなくなります。これは手間暇、すなわちコストがかかることです。

日本の場合は、それがかつてはかなりスムーズに進んでいました。口約束でものごとが進むことが多かったのです。口約束なんていい加減な、と思う人も今は多いのでしょう。でも、口約束で済むくらい楽なことはありません。

著者と出版社の間でも交わす文書や契約書が増えました。昔は、まったく交わさないことも珍しくなかったのです。

それがいつからか契約書を交わさないと、なにかあったときにたいへんだ、と考える人が増え、どんどん「口約束では駄目」ということになりました。当然、契約を専門にする人も必要になります。これまでかからなかったコストがかかる。

しかし本当は昔も今も、契約書を交わさなくても支障がないことがほとんどです。口約束の時代でも、ふつうはきちんと印税を支払っていました。もちろん昔も今も、払わないところはあるでしょうが、それは契約書と関係ありません。その出版社の経営状態や経営姿勢に問題があるだけの話です。

だから本当は、契約書なんて交わさなくて、なにか問題が起きて、どうしても解決できないときにだけ弁護士が出てくる、くらいでいいのです。むしろそのほうが、ものがよくわかるようになるのではないでしょうか。ある問題について「この部分で誤解があったのか」とお互いに真剣に考えるから勉強になります。そして、次はそういうことが起きないように気をつけるでしょう。結局、そうなれば次の問題を防ぐことになります。

日本人同士がお互いに信頼していた時代には、不信から生じるコストが低かった。そのことは案外、見過ごされやすいのだけれども、日本の成功の要因だったのではないかな、という気もします。

近年、どんどん欧米式の契約社会の考え方のほうが「新しい」「正しい」という風潮が強くなっています。しかし、それは日本が本来持っていたメリットを消しているようなものです。

橋下市長を信用するか

お金を誰かに使わせる際にも、細かい使い道を決めるよりも一度にまとまった金額を渡して、「ちゃんと使えよ」と任せてしまうのが、一番効率がいいのです。

その意味では、橋下徹大阪市長のような人たちが、「地方に一括して金を渡せ」と言っている主張自体は論理的には正しいのでしょう。ただし、ここでの問題は、その場合の前提として、金を渡す相手が信用できるのか、ということです。橋下さんがそこまで信用できる相手なのかどうか、私にはわかりません。

「選挙で選ばれた人」がすなわち信用できる人かというと、そうとはいえないのです。江戸時代の代官でも、明治時代の県令でも中央から地方に勝手に派遣されていたわけですが、こういう人たちにも有能で立派な人はいました。それが信用できる人であれば、どういう形で決まっても構わないはずです。

もちろん、とんでもない人が派遣されることはあったでしょう。それが時代劇に出てくる悪代官です。そういう場合は、一揆でも何でも起こせばいい。

昔ならばいざ知らず、現代のように情報が流通している中で、悪代官がずっと居座るなんてことは、そう簡単にできるはずがありません。

「同じ日本人なんだからまあまあ」といった考え方を、保守的だとか古臭いと批判するような風潮が強くなりました。そういうあいまいな物言いが、日本を駄目にしているのだ、と怒る人もいそうです。しかし、「まあまあ」という考え方には、実は「不信のコスト」を下げる知恵という面もあったのではないでしょうか。

あこぎはできない

不信が高くつくことは、先ほど述べた政治問題化のことにもつながります。原発でもダムでも空港でも何でもいいのですが、「絶対反対」と「絶対賛成」が二項対立という構図になると、コストがかかるし、具体的な話ができなくなります。原発問題に関しては、この対立の構図が安全対策を結果的に遅らせることになってしまったわけです。

鎌倉に家を買う際に、信頼していたほうがいいことがしみじみとわかりました。もともと鎌倉で生まれ育ったから、周囲は知り合いばかりです。売り手も知っていましたし、不動産屋も親の代から知っています。

関係者がみんな顔見知りだと信用が前提です。お互いにあこぎなことはできない。すると面倒なことが省けて、コストがかからないのです。

今住んでいる地域は全部で一四軒しか家がありません。全員が顔見知りです。誰かがまた家を売るという時には、当然、「他の人に迷惑がかからない相手に売らないと」と考える。たとえば夜中まで騒ぐ人、やたらと人の出入りが多い人は避けよう、といった具合の配慮をします。だから適当なところで収まります。

そのことが全員のメリットになっているのはいうまでもありません。

「絆」の大切さを考えるときには、心情的な問題もさることながら、実はそのほうが現実的には楽でコストがかからない、ということは知っておいてもいいでしょう。

近江商人が、「店よし、客よし、世間よし」といっていたのも、そのことです。関係者全体とよい関係を築いていたほうが、結果的には誰もが得をするのです。

もちろん顔見知り同士であっても、ちょっとしたズルやごまかしくらいはあるかもしれません。そういうものを断じて許さない、という人が契約書を交わそうとするのでしょう。しかし、ちょっとしたズルやゴマカシで受ける被害と、不信のコストと、どちらが大きいかを考えてみると、結局は信用をベースにしたほうがいいのです。

第7章　政治は現実を動かさない

選挙はおまじないである

政権交代が実現して、日本は良くなるのか。そんなことが真面目に議論されている時期がありました。民主党政権になった時には、新しい政権への期待の声が随分聞こえてきました。でも、正直に言えば、私はあまり期待していませんでした。

たしかに日本という国はなにかのきっかけで、がらっと変わることがあります。明治維新もそうでしたし、敗戦後もそうでした。マッカーサー司令部の意向が水戸黄門の印《いん》籠《ろう》のようになった。戦前からは想像できないほど極端に国を変えることができたわけです。

しかし、もともと私は、選挙というものについて、あまり期待をしていません。いつも次のように言ってきました。

紙に名前を書いて箱に入れるだけで、なにか変わると本気でみなさん思っているのですか、それはおまじないと同じではないですか、と。

選挙は国民の大切な義務だ、立派な権利だ、まじないとは不謹慎だ。そう思う人もいるかもしれません。でも、他人の名前を紙に書いて箱に入れるだけで、どうして世の中が変わると言えるのでしょうか。

まじないだから全然意味がない、とまで言うつもりはありません。おまじないでイボが取れることもある、と学生のときに聞いたことがありました。医学ではプラシーボ（偽薬）効果というものがあります。偽の薬を「胃薬だ」と言って患者さんに飲ませると、それで治ってしまうことがある。鰯《いわし》の頭も信心から。イボも取れると信じることで、効果が出たのでしょう。

そう考えれば、選挙の効能もまったくないとは言えません。でも一方で、その程度のものだと心得ておいたほうがいいのではないでしょうか。

世界はオレオレ詐欺だらけ

政治家は、選挙で公約やマニフェストを掲げて戦い、それが守れないとウソつきと非難されます。

これで思い出したのが、数年前に、「文藝春秋」で読んだ記事です。最近もそうですが、その頃も、歴史問題で世界中から文句を言われていました。靖国問題や従軍慰安婦問題について中国や韓国やアメリカが怒っていた。そこで編集部は、在日外国人に「日本のいいところを言ってくれ」というインタビューをするという企画を立てました。「もう悪口はわかったから、いいところを聞かせてほしい」というわけです。

そのときに大多数を占めた「日本人のいいところ」は、「時間通りに来る」「言った通りにやる」でした。

これを日本人の美点と評価してもらえるのは結構な話でしょう。しかし、裏を返せば「時間通りに来ない」「言った通りにやらない」ほうが世界基準だということです。だから外国人は、日本に来て驚く。

世界の先進国はマニフェストを選挙で打ち出して、それを守るのが世界基準である、だからマニフェスト選挙なのだという話が常識のように言われて、今に至っています。

でも、それ自体がウソです。

日本が国際化することとは、日本人がもっとウソつきになるということです。日本人の中で国際化が進んでいる人種はオレオレ詐欺の連中かもしれません。ああいうウソつきは、外国には昔から当たり前にいるからです。

海外旅行に行っておつりをごまかされたという類の話はしょっちゅう聞きます。昔から日本人の観光客はよく騙されたものです。今でも多分あまり変わらないでしょう。うちの女房は海外に行くと、なにかしら怒っています。

世界はそういうふうにみんな日本よりもウソつき、というのが言いすぎならば、「かなりいい加減だ」と認識しておいた方がいい。

外国で困るのは水道工事だ、とよく聞きます。水道屋がいつ来るかわからない。来たとしても直るとは限らない、という無茶苦茶な状況も珍しくないそうです。

日常生活がそうなのですから、自国の政治家についても国民がそんなに厳しく見ているかどうかは怪しい。かなりいい加減なのではないかと思います。ただし、だから逆に政治家自身の責任感は強くなる、という場合もあるかもしれません。皆がいい加減だから、俺くらいは真面目にやらなくては、という人が現れることはあるでしょう。

言葉は現実を動かさない

田中角栄が北京で「言ったことは必ず実行する」と言ったらバカにされた、というエピソードを聞いたことがあります。

「言葉」というものの使い方を知らない、と受け止められたのです。言葉は最初からウソなのです。現実とは直接関係ない。

言葉が動かすことができるのは人の考えだけです。その結果、その人が具体的に動いたときに、はじめて現実が動く。だから現実が厳しくなってきたときに、言葉に誠実すぎる人は結構まずいことをする。現実よりも、言葉にひきずられるからです。

日本が戦争に突入する時期がそうでした。このままだと石油が入ってこなくなる、という厳しい現実があった。そういうときに、現実よりも言葉に引きずられてしまう人がいたので、戦争になってしまった。

一次産業が大部分であった時代には、しゃべっても仕方がないということが、もっと多くの人の共通認識でした。魚を獲っているときや、田植えをしているときに言葉は不要です。不言実行が望ましい。

若い頃、私もよく言われたものです。

「そんなに言うならやってみな」

近頃はこういう言い方をあまり聞かなくなりました。ワイドショーで、みんながガヤガヤしゃべっている。そこで「そんなに言うならやってみな」と発言してみたらどうなるか。場がしらけるだけなのでしょう。

「やったつもり」でことを進める

今の日本で、政権交代が行われたとしても、とりあえずできるのは人間の入れ替え程度です。制度そのものは、これまでと同じです。しかも、全員が入れ替わるわけではない。それで、どのくらい変えられるのかと見ていましたが、やはり大して変わりませんでした。

民主党でいえば、せいぜいダム建設をいくつかやめてみた、ということでしょうか。でも、ダムの中止なんて、民主党になる前からあちこちでやっていることで、政権交代の賜物とはいえません。鳥取県や長野県等、地方自治体では県知事が率先して、とっくに中止の方針を打ち出していました。

ダムなんか誰が考えたって、一〇〇年経ったらどうするのかという代物です。長い年月の間に少しずつ砂が溜まって必ずあふれてしまいます。それを考えれば、ダムは基本的にはもう作らないほうがいい。「水害対策をどうするんだ」という意見が出るでしょう。しかし、そもそも水害を防ぐことを最優先に考えるべきかどうかを考えたほうがいいのです。

もともと日本の山は急峻《きゅうしゅん》です。当然、流れる川も急な傾斜になる。「日本の川は全部滝だ」と言ったオランダ人もいるほどです。

ヨーロッパの川と比べればわかりやすいでしょう。ヨーロッパの川はどちらに流れているかわからない。アジアのメコン川でも相当ゆったりしています。

水位が上がるときもゆっくり上がるから、洪水は大雨の一月後に来たりする。ところが日本の川は急峻だから、どっと流れて、平地にいきなり流れる。そこで流れのスピードが急に落ちる。そうすると水は広がるに決まっている。だからあちこちに遊水池がある。その遊水池に作った住宅地に住むというのは、極端にいってしまえば水害を待っているようなものです。

「だから対策にダムを作れ」というのは安易です。現実問題としては、水害からは逃げたほうが早い。国や自治体がすべきことは、それぞれの地域の水害の危険度をちゃんと把握して、指摘することです。それでも危ないところに納得して住みたい人がいるのなら、それはそれで自由です。

この点で、立派だと思ったのは、以前訪れた兵庫県内のある市です。市の博物館に行くと、市内の水位がどれだけ上がるとどこまで水につかります、という立体模型を展示している。こういうことこそ行政が真っ先にやるべきことでしょう。

ところが、この手の情報を自治体は大っぴらにしたがりません。なぜ情報を隠すか。不動産業や土建業からクレームがつくからです。せっかく作った住宅地が売れなくなってしまうじゃないか、値が下がるじゃないか、というわけです。

でも、買い手によっては「数年に一回の浸水のリスクがあっても、代わりに安い家が手に入るならそれでよい」という人もいるでしょう。むろん、「そんなところは絶対嫌だ」という人もいる。どちらを選ぶかは基本的には個人の自由です。

そこに住んだら、今は安上がりでも、長い目で見るとコストがかかりますよ、ということは教えるべきです。そうした情報公開を自治体や関連業者に義務付ければいい。

ことは水害に限りません。同様に、日本の場合は活断層がどこにあるかもきちんと明示しなければいけない。

それで損をする人もいるでしょうが、仕方がありません。社会全体のコストから考えたら、個々のコストは割り引かざるを得ません。極端にいえば、一人を保護するために全員が損していいのか、という話です。

想定されるありとあらゆるリスクの対策を、すべて行政が負担することは不可能です。ところが、これまでは、それを「負担します」と言って、強引に予算をつけてきました。その結果、五五年体制、自民党政権下でついた一番悪い癖が、いったん決まった予算は必ず使い切る、というものでした。これが国土を壊しています。

土建業界や政治家に、いくら金が入るかは知りませんが、ダムを作る総工費全部が彼らの懐に入るはずがありません。それならば作業の実費を除いて、利益分ぐらいを支払って終わりにする、というやり方があってもいいのではないでしょうか。

ことはダムに限りません。まだ農薬の空中散布をやっている地域もある、と聞いたことがあります。生態系の保護を考えればとんでもないことです。もしもその散布が誰かの生活を支える商売になっているから簡単には止められないというのならば、儲かる金だけをその人たちに払って、散布はやめるべきです。

時と場合によっては、「やったつもり」にする。そろそろそういう経済を考えるべきだと思います。

やはり参勤交代

今の政治で気になるのは、どの政党にも大きな構図、ビッグピクチャーがないという点です。言うことが細かすぎる。本人たちは大きな話をしているつもりかもしれませんが、瑣末な話がほとんどです。

だから大して世の中は動かない、変わらないのでは、と思ってしまうのです。

私がずっと繰り返し主張している「参勤交代」は、ビッグピクチャーの一つです。都市に住む人に、年間数か月は田舎に住むことを義務付ける。まずは官僚から実践させる。そうすれば日本は確実に変わります。

たとえば、過疎地が変わります。結局、人間が来ない限り過疎地は生きない。それならば人間を行かせればいい。

福島の原発事故が起きるまで、「ザ!鉄腕!DASH!!」という番組では、人気グループのTOKIOがしょっちゅうダッシュ村（福島県浪江町）に行って農作業をしていました。あれを見習えばいいのです。たとえば国民に、一年のうち一か月は田舎で暮らすことを義務にしてしまう。企業は強制的に社員を一か月休ませて、田舎で農作業をやらせる。

不況で内需拡大をしなければいけない、などとよく言われていますが、だからといって多少のお金をバラ撒いても仕方がありません。

参勤交代は、内需拡大策にもつながります。都会から人が来るとなれば、住むところが必要になる。新築はしないまでも、古い家にも手入れをしなくてはいけない。

とたんに地元の業者の細かい仕事、需要が大発生します。田舎に暮らす間に使う消費財も必要になる。冷蔵庫やエアコンも新しくしなくてはいけない。

もしも一か月程度の休暇では畑にまで行く暇がないというのならば、二か月でも構いません。年の六分の一だから、人手が六分の一足りなくなる。じゃあその足りない分は、人を増やせばいい。そうすれば雇用が増える。

とても雇用は増やせないというならば、仕事の能率を六分の一だけアップさせればいい。そのくらいのことは本気でやればできます。

官僚の頭を変える

官僚との戦いによって明治維新的なことをやる、と言う人がいます。民主党もそうでしたし、今でもそんなことを言っている人はいるのでしょう。本人たちは、大きな構想を語っているつもりでしょうが、実は小さなことです。たしかに官僚を総取っ替えすれば、何にせよ大きな変化が起きるかもしれません。

しかし、そんなことは無理です。仮にやったら、素人ばかりになって何も動かなくなります。今よりも良くなるはずがない。大きな変化がいいこと、とは限らないのです。

結局、できることといえば小規模な人事異動程度でしょう。

それならば官僚も休ませるのが一番いい。メンバーの入れ替えが無理ならば、メンバーの頭の中を大胆に変えてしまえばいい。全員の考え方が変われば、メンバーを総取っ替えしたのと同じことです。そのためには、「おまえら二か月、田舎に行って働け」と言えば可能になります。

今でも民間の会社で、ちょっと経験させるといった出向システムみたいなものはやっていますが、あれでは結局オフィスからオフィスに動いているだけだから意味がありません。それよりも山歩きをさせたほうがいい。

特に財務省の官僚のような人たちには、どんどん離島勤務をさせればいいのです。奄美大島でハブを踏んづけないよう気をつけるような暮らしをさせる。そのほうが絶対いい。

私自身、いつもあちこちに行って、そうすれば必ずいいことがわかっているから、この話を繰り返すのです。すると必ず、

「やったらどうなりますか」

と聞いてくる人が出てきます。

「それを聞くからいけない。やってみなきゃわかんないでしょう」

そうとしか言いようがありません。言葉で説明しつくせる話ならば、わざわざ離島に行く必要がない。

しかし、みんな本当は都市でのみ仕事をしていたら、おかしくなることは、うすうすわかっているはずです。なぜ偉い人が、みんなゴルフに行きたがるか。やっぱり外に行きたいのです。

参勤交代のような「枠」を作ることが政治の本来の仕事だ、と私は思っています。

「こういう混乱が起きる」「こんなマイナスがある」とああでもないこうでもないといっ

た意見が出ることはわかっています。しかし、どこが得して、どこが損をするかもやってみないとわかりません。ちょっと乱暴に言えば、ある意味で政治家はそういうドサクサの状況を作るのが仕事なのです。

絶対にうまくいくことは大抵、すでに行われています。そして、「こうなったらうまくいきます」とわかりきったことばかりやっていたら、閉塞感が生まれるに決まっています。もちろん、明らかに悪いことばかりだと予想できることを断行する必要はありません。しかし、もともといいことずくめの「丸儲け」の政策なんてない、ということは前提としておいたほうがいいでしょう。

参勤交代なんて非現実的だ、意味がないと思う人もいるかもしれません。でも、ゴールデンウィークはどうでしょうか。大型連休だって、いいことずくめとは言えません。「休みなんていらない、働きたい」という人にとっては迷惑でしょうし、そういう期間にも休めない職業の人からすれば、いまいましいものかもしれません。それでも、「まあ、なるべくみんなが一斉に、ゆっくり休む時期を作ろうよ」ということでやってみたら、それなりにみんなが納得できた。だから存続しているわけです。

知的生産とはホラの集積である

日本人は、ビッグピクチャーを描くのが苦手です。それは政治に限りません。内田樹さんの『日本辺境論』（新潮新書）は実に刺激的な日本論でした。本そのものが、著者自身の考えたビッグピクチャーだったからです。内田さんは、「日本は常に辺境にあった」という大きな捉え方をここで提示しました。

日本は、常にいい思想とかいい哲学は外からやって来て、それを例えば無理やり漢字のむずかしい言葉に置き換えるというようにしてきた。漢文の時代は全くそのままで、日本語に置き換えることすらしなかった。それで四書五経を読んでいる。むしろ、そういうもののほうを「いいもの」だと言ってきた。

昔から、日本の学者の多くは、いいものはみんな外から来るという構えになっている。中心は世界のどこかにあって、日本は辺境に位置している。だから、同じ国の仲間が書いたものは評価しない。

内田さんは、そういう大きな捉え方（枠組み）を自ら作って提示した。これが珍しいのです。たとえていえば、手作りで大きな家を建てているようなものです。今はプレハブのような論文が多いだけに貴重だったのです。

世間は、すでに定められた構図の中で細かい仕事をしていくことを評価しがちです。大きな構図を考える、壮大な仮説を立てる人を「ホラ吹きじゃないか」と軽く見る。

しかし、知的生産というのはホラの集積なのです。旧約聖書や新約聖書を考えてみればわかります。映画にしてみれば、それが全部ホラなのは明らかでしょう。海が二つに割れただの、湖の上を人が歩いただの、無茶苦茶です。しかし、あれだけの壮大なスケールの構図を提出したからこそ、今でも通用しているとも考えられるのです。

ビッグピクチャーのいいところは、関連のない事象がつながる点です。自分が思っていたことが、その一例にぴたっとはまることがある。

その提示した構図をもとに、読む人がそれぞれ自分で解釈ができる。それが面白いのですが、そういうことの良さがわからない人が増えています。

大きな骨組みを提示されると、そこから物を考えない。そして、

「それは単なる仮説かホラでしょう。裏付けるデータはどのくらいあるのですか」

と言ってくる。そういう瑣末なことにこだわって、他人の意見を拒否する態度を示すような人が非常に目立ちます。

これは、「おれの方が物知りだ。上だ」ということを無意識に示そうとしているので

す。結果として、議論の本質がどこかに飛んでしまう。

国会の質疑応答が全くおもしろくないのも、同じことです。政府側は自分の優位を示そうとする。質問側は「俺の方が本当はディープな情報を持っているんだ」と示そうとする。それで勝手に言い合っている。子どもの自慢のしあいみたいなものです。

だから肝心な問題がどこかに行ってしまう。国政の重要な問題というのは本来具体的な問題ですから、どうやったらいいかというのを議論すべきです。それなのに、「おれの方が偉い」の言い合いばかりになる。「よく知っている」と、「だからおれに任せろ」という主張を互いにぶつけあっているだけ。「論理的に正しいからおれに任せろ」ではなくて、「おれの方が偉いのだから任せろ」の合戦になる。

医学は科学か

日本には大きな構図、骨組みを自分で考える人が、非常に少ない。骨組みは外部、多くは外国にお任せしておいて、その骨組みの中で部分的に仕事をするのが得意な人が非常に多い。

それは文科系だろうと理科系だろうと同じです。むしろ理科系のほうがひどい、ともいえます。つまり科学という枠組みががっちりあって、ほとんど宗教化してしまっている。教会みたいになっているのです。

このことについて、私はよく「意識」の例を出します。「意識」というものが何であるか、そのことは科学では定義されていません。しかし、私たちは常に「意識」でものを考えている。その科学で定義されていない機能が自然科学をやっているとは、どういうことか。こういうことを考える人は少ない。

もうすでにここにある「科学」という骨組みの中で仕事をすればいいじゃないか、そこから外れたことについては、考えるのをやめよう。そういうことにしている。骨組みそのものを作ろうとはしないのです。

もっと一般的な例を挙げてみましょう。日本の医者の九割が「医者は自然科学者だ」と考えています。アンケート調査でそういう結果が出ている。

ところが実は、医者はごく基本的なことについて、「科学的」な説明ができません。たとえば、外科手術で使う麻酔がなぜ効くのか。答えられる医者はいない。麻酔薬そのものはとても簡単な化合物です。化学の基礎知識があれば、化合物として化学式が書ける。簡単にいえば、亜酸化窒素です。

酒についても同様で、アルコールを摂取しすぎれば意識をなくす、ということは誰でも知っている。ところが、「どうして酒を飲みすぎると意識がなくなるんですか」という質問に答えられる医者はいない。その原理は、よくわかっていないのです。

つまり、麻酔が効くということ、酒を飲みすぎると酩酊するということは「経験則」でわかっているに過ぎないのです。きちんと、「この成分が脳のこの部分に、このように作用することで意識が失われる」といったことは解明できていない。そもそも「意識」とはなにかということが定義できていないのですから。

だから理屈でいえば、そんな得体の知れない麻酔を使って、意識が戻るという保証は実は今でもないのです。単に今までやった例でいえば、九九・九パーセントの患者さんの意識が戻ったという程度の話で、理屈はわかっていない。

ふつうの人は科学というからには方程式があって、AだからBになってCになったから、と理屈が綺麗にでき上がっていると思うでしょう。実際に、物理学はそうなっています。電気や磁気の学問は素人には非常に難しそうに見えるでしょうが、理屈はきちんとしている。電磁気現象はマクスウェルの方程式できれいに説明できます。しかし、じゃあその方程式を考えた意識はなにかというと、またわからない。

この意識の例と、「日本の社会とは」と議論しているのとはよく似ています。あまりに自信満々で、前提を疑わずに堂々とそういうことを言う人には、「あなたに日本社会が全部見えているのですかね」と言いたくなります。

それでも社会というのは人間の集まりだから、まだ捉えどころがあるとも言えます。それと比べると、意識というのは本当にわからないものです。自分のことを考えても、レベルがいろいろあることはすぐにわかる。酩酊しているとき、夢を見ているとき、完全に覚醒しているとき、緊張しているとき、していないとき……。

だから何もかもが不確かだ、考えるな、などとまぜっ返すつもりはないのです。医者が「意識とはなにか、わからないうちには手術しません」となったら、たいへんです。麻酔が効くメカニズムがわからないからといって使わなかったら、手術はできません。しかし、ときに前提を疑うということが大切なのです。前提を考えるということは、自分で骨組みを作る、ということにもつながります。

闇雲に動く意味

政治家にビッグピクチャーを語れ、と言うと「不況で目の前に飢えている人がいる。

子育てで大変な家庭もあるし、年を越せない人もいる。それどころじゃないんだ」というような議論が出てくる。近頃は特に、その手の意見が目立ちます。

でも、それもどこまで本気でしょうか。子どもを育てるのがたいへんだ、と言う人もいます。しかし、そんなのは今に始まったことではありません。私の家でもたいへんでした。女房にその頃の話をさせたら今でも恨み言が続く。

そもそも教育をどんどん楽なものにしていけばいいとは限りません。無償化を進めることのマイナス面もあるのです。すでに子どもや親は、学校にとってお客様と化してしまい、その弊害が現場からは聞こえてきています。

たしかに不況でたいへんな企業も多いのでしょう。高度成長のときには、どこかが潰れそうでも、その分どこかに儲ける人がいたから、マイナス分を社会全体で消すことができた。それこそ余裕があったわけです。こっちで困っていても、あっちは景気がいいから、あっちに行こう、ということが可能だった。

ところが今は全体が閉塞感に包まれている。だから、マイナスをどこかに回すことができない。そこがうっとうしいわけです。

そこを解決するには、全体としての内需拡大をしなくてはいけない。それは別の言い方をすれば国民の活動を増やす、ということです。

戦後すぐのように、「重工業の回復」といった、わかりやすい目標を設定できるのであれば、細かく業種を指定して、目標設定することにも意味があるでしょう。でも、こういう閉塞状況のときはだめです。そもそも、何をやればいいかを誰も思いつかないから閉塞状況になっているわけです。

こういうときは闇雲に動くしかありません。一番いい方法は国内で移動することです。だからこそ参勤交代なのです。そうすれば内需拡大でＧＤＰが上がってきます。

では、高速道路無料化は正しかったのか。とんでもない。大体、大きな目的も何も考えずに、高速道路を無料にしようという考え方自体が無茶苦茶です。国民を移動させていこう、そのために高速を無料にしましょう、というデザインがあるのならともかく、まず無料化というのが姑息です。

最初にまず、参勤交代なり「国民年間一〇〇〇キロ移動計画」なり、ビッグピクチャーを掲げて、その手段として無料化を打ち出すのなら、まだよかったのです。バスや鉄道も値引きをして、計画を援護すればいい。

ところが、根本にビッグピクチャーがありません。「値下げをしたら喜ぶでしょう」

「無料はお好きでしょう」というのは要するに、「お金をあげればいいのでしょう」というのと大差がないのです。教育の無償化というのも同じようなものです。

戦後、一番ビッグピクチャーに近いことを言った首相は池田勇人さんかもしれません。「所得倍増計画」と言ったときには、その壮大さに誰もがウソだと思ったものです。

しかし、それを見事に実現した。もっとも当時の私は所得ゼロみたいなものでしたから、倍増しても大差なかったのですが。

これがその後に続く「日本列島改造論」になると似ているようで違います。一見、ビッグピクチャーのようでも、質が違う。なぜなら、これは目的ではなくて、単にやっていることを表現しただけです。何のために改造するかのビッグピクチャーは無く、国土をいじるという「手法」が先に出ている。それで潤う人がいるでしょう、と。

政治は生活と関係ない

政治で、なにかいいことがあったことがあったのか。このことは自分の生活を振り返ったうえで考えてみたほうがいいのではないでしょうか。私は、政治は私たちの生活とは基本的に無関係なところで動いているという感じがして仕方がありません。

私自身は、官僚機構とかかわって迷惑を被ったことはあっても、あまりいい思いをしたことがない。唯一のとりえは大学に勤めている間、きちんと月給をくれたことだけです。それこそ約束を守って「言ったことをやる」だった。

政治家自身とかマスコミも含めて多くの人が、政治にものすごい役割があると思い過ぎです。実際にはそんなに恩恵を受けてないのに、そういうふうに思ってしまう。

無政府主義を訴えるつもりはありません。ここまで高度につくり上げられた複雑なシステムを無にすることは今さらできない。しかし、一方で政治と生活のかかわりは、そんなに大きくないと考えてもいいのではないでしょうか。

もともと日本は、小さな政府を実現していました。徳川家の末裔、徳川家広さんによると、江戸時代、侍は人口の一パーセントしかいなかったといいます。だから小さな政府が作れたのです。本当は、社会全体で管理職が一パーセントというのは、どう考えても少ない。管理職が足りない。それでも自治が進んでいたから、世の中がよく治まったというお話でした。

日本の場合、これで何とかなった、というのはよくわかります。世間のシステムがきちんとしていたからです。

いかに世間が壊れてきたといっても、今でも基本的に世間は政治と別に機能している。政治のシステムは後から入ってきたものです。だから、政治と生活は関係していないし、それで何とかなるのです。

政治主導というと、いいことのように思うかもしれません。でも、それは政治の領域をどんどん広げようとしているということです。それで政治家はいいかもしれませんが、私たちにとってもいいことなのかどうか、は別の話です。

中国が、尖閣諸島やその他の地域で揉めごとを起こしているのに似ています。中国軍はなにか揉めごとがないと存在意義が問われます。そのためには揉めごとがあったほうが、都合がいい。だから彼らは、ああいうことをしているわけです。

無関心もまたよし

政治なんてどうでもいいと言うと、シニシズム（冷笑主義）だと思われるかもしれません。しかし、それの何が悪いのか。

「政治に積極的にかかわらなければならない」ということを誰が決めたのでしょうか。

「いい年して虫なんかとって」と言う人がいます。それに対して、私は「ええ、いい年して虫なんかとっているんですよ」としか言えません。向こうは言外に、世の中にはもっと立派なこと、やるべきことがあるでしょう、と言いたいのでしょう。でも、その人は実際にどんなことをやっているのでしょうか。

シニシズムというのは悪いことのように受け止められがちのようですが、それ自体が変な話です。

「そんなものから何も生まれないじゃないか」

そう考える人がいる。しかし、じゃあ何でもやたらとポジティヴにだけやればいいのか。そんなはずはありません。一種のブレーキとして、シニシズムは機能します。

私は普段から、しょっちゅう議論に水をかけています。それは、かなり意識的に心がけてそうやっているのです。

「政治にかかわらねばならない」

という人は、みんなが全く興味を持たなくなったら、たいへんなことになるのではないか、という危機感を持っているのでしょう。しかし、そういう人こそ、裏を返せば、実は「みんな」を信用していないのです。本当に必要な時には、誰でも興味を持ちます。政治が問題になってくるのは、社会に問題があるということです。

これまでにも「国家の危機」を訴える、一所懸命な人をたくさん見てきました。「みんな」が今よりもはるかに熱心に国家に、政治に興味を持っていた時代があったのです。一つは戦時中です。「みんな」が「国家の危機」に興味を持ち、一致団結して戦争へ向かっていきました。

戦後、私の若い頃も、今よりもはるかに若者が政治に興味を持っている時代でした。学生運動が盛んだった頃です。それでどうなったかは、第5章に書いた通りです。樺さんが亡くなりました。いい時代だとは、とても言えません。

「もっと政治に関心を持て」と言う人たちは、ああいう時代を良かったと思いたいのかもしれませんが、私にはそうは思えないのです。

意識的に政治を考えることを放棄しろとまで言うつもりはありません。ふつうに生活していても、必要な時には興味を持たざるをえないし、時には直接かかわらないといけなくなる。

私だって、政治にかかわりたくはないけれども、森林のことを考えていくうちに、ずいぶんかかわらざるをえなくなりました。C・W・ニコルさんは、私よりも積極性があるから、自分で森林を買って育てている。三〇年がかりの仕事です。このほうが、政治よりもよほど現実を動かしているのではないでしょうか。

表に出る言説では「この国を根本から変えるべきだ」といったものがあります。街中で、「この国を根本から変えるべきでしょうか」と聞けば、「その通り」と答える人もいるでしょう。でも、ホンネでは多くの人はそんなことを望んでいません。ここまでシステムができあがった国で、そんなに困らずに生活ができていれば、革命なんか望むはずがありません。

日本のような煮詰まった状態の国では、政治の出番は大してない。万事が必然だからです。「これが悪い」ということにも、ある程度は存在理由があることが多い。

つまり根本から変えることに、あまり必然性がない。それが保守の立場であり、自民党的ということです。日本の多くの政党は、自民党の派閥のようなものです。

政治的無関心というものが広がっているとすれば、それは単に切羽詰まっていないと感じている人が多い、ということに過ぎません。

ずいぶん前の話ですが、川崎の市長選挙で投票率が二〇パーセント台ということがありました。その時、私は「川崎市民は別に市長なんか要らないと考えているのだろう」と書きました。七割以上が投票に行かないのならば、そう考えるほうが自然でしょう。

憂慮する人がいるのもわかりますが、いてもいなくても構わないような市長がトップにいても何とか回っているということは、それはそれでいいのではないでしょうか（川崎市長の能力をどうこう言っているのではありません)。

リーダー次第ではない

政治なんかで世の中の大勢が決まってしまうのは、良くない状況だと私は思っています。じゃあ、たとえば何で動くのか。それを示してくれるのが、『鉄で海がよみがえる』(畠山重篤・著　文春文庫)です。

日本の近海のあちこちで魚がとれなくなってきた。小樽市では、昔あれほど獲れたニシンもとれなくなってしまった。その原因は乱獲などではなく、植物プランクトンが減ったからだろう。この仮説をもとに、対策として森林をつくるところからはじめて、海の再生を目指したのが、牡蠣《かき》の養殖業者である畠山さんでした。

結果として、その試みは成功し、海はよみがえりました。

畠山さんは、自分の仕事について、とことん本気で考えていくうちに森林にたどり着いた。自分の仕事を真面目に追求していったことで、社会を確実に変えたわけです。

「魚が獲れなくなった」と嘆いたり文句を言ったりするだけの人よりも、「鉄をまけば何とかなる」と行動した畠山さんのほうが健全です。畠山さんが海をどうにかすると決心して動いたら、よそで働いていた長男、次男も帰ってきたそうです。まさに家業です。

畠山さんは家業をまっとうにやることで大きく社会を変えました。

彼らの活動で気仙沼のダム建設も中止にすることができました。きちんとした理由、データがあるからダム建設を止めることができる。

「自然破壊反対」「脱ダムだ」といった理念だけでは現実は動きません。この話は「原発反対」ともつながります。廃止は、エネルギー政策全体にかかわることです。原発に限らず、どこかを止めればどこかで不都合が生じる。そうしたことを全部解きほぐしていかないと、原発即時廃止という結論は出てこないはずです。

原発をすぐに止めてしまうとして、そこで働く人たちの給料をどうするのか。止まったとしても管理が必要な原発をどう扱うのか。そう簡単な話ではありません。単純な反対論者の人たちはその点については、実は人にお任せなのではないか、だからいろいろ言えるのではないか、という気がします。

畠山さんの例を見ればわかるように、本当に社会を変えたいと考えた場合、それを政治運動と直結して考える必要はない。私はそう思います。

「国があなたに何をしてくれるかではなく、あなたが国に何ができるかだ」

これはケネディ大統領の有名な言葉です。

私が若い頃、学生運動をしていた人たちも、自分たちの運動で政治を変え、国を変え、良くするのだと考えていたのでしょう。しかし、自分で稼ぎもしていないうちから何を言うのか、という気もするのです。

「なにかを良くしたい」という気持ち、そのものを否定するつもりはありませんし、からかうつもりもありません。しかし、そういう気持ちが実現できるのは、小さい集団においてではないでしょうか。

少なくとも国家のような大きなものが、簡単に動くとは思わないほうがいい。

「強いリーダーの不在」を嘆く人もいます。しかし、強いリーダーで、システムがガラッと良くなるというのも小さい集団、せいぜい企業やＮＰＯレベルでの話です。

一億人以上の国民がいる国において、リーダー次第でガラッとやり方が変わるなどということがあるとすれば、それは不安定で良くないシステムだと言わざるをえません。

そんなのは考えてみれば当たり前のことなのに、なかなか納得しない人が多い。だから、ある時は鳩山さんに期待をして、その次には橋下さんに期待をするのです。そして期待される側も、その気になってしまう。

かつては、そんなに簡単に変わらないことがわかっていたし、そのほうがいいことも常識でした。その変わらないものが「世間」であり、「大和魂」だったのです。外国からなにか入ってきても、俺たちは変わらない、なぜなら「大和魂」があるから。

「世間はそう簡単に変わらないよ」

これが世間の常識だったのです。

フラフラしていていい

真面目な人ほど、社会の問題を考えて「自分が世の中を変えねば」と強く思うのでしょう。周りが頼りなく見える人ほど、そういう気持ちは強くなる。

でも、本当はたいていの人はフラフラ生きているものです。目の前のことをやるので精一杯。ただし、その精一杯をやっていくうちに、ときおり世の中に役立つ、世の中を変えることにつながることも出てくる。それくらいでいいのではないでしょうか。

そして、そういうことに出会う時期も若いうちである必要もない。ある程度年を取ってからでいい。大器晩成でいいのです。

一生役に立たないこともあるかもしれません。それを中国では「英雄時を得ず」と言ったのです。どんなに立派で才能のある人でも、時代によっては十分に活躍できないことはある。それでもいいのではないでしょうか。

とにかく、「自分」よりも先に世間はあった。私みたいな年寄りでも生まれた時点ではすでに数千万人が日本に生きていて、世間を作っていた。そこに後からお邪魔したわけです。その世間を自分の都合で変えようといっても、どこかおかしいのではないか、それは無理だろう、と思うのです。

今の日本について、「こんなひどい国はない」と嘆く人もいます。そういう人であっても、その「ひどい国」でとりあえずは生かされているわけです。私自身、世間と折り合いをつけるのがどうもうまくないと思いながらも、何とか入れてもらえている。ありがたいことです。世界には、折り合えない人間は即、収容所送りという国もあるのですから。

「いや、そういう極端な話ではなく、もっと別のこと、たとえば格差、低賃金、孤独といったことで『閉塞感』を感じている人もいるのだ」

そう言う人もいるのかもしれません。しかし、誰も他人に、現状のままでいろ、と強引に縛りつけられているわけではない。大抵の場合、自分が動いていないだけなのではないでしょうか。

生きづらい、と言うけれども、戦時中よりも今のほうが生きづらいわけがない。少なくとも、カボチャやサツマイモだけ食わされる状態ではないだけいい。昔の自分を写真で見ると、難民みたいです。

もともと私は世間とずれていたから、そんなに世間が生きやすいとは思っていませんでした。それでも若い頃に比べると今の方がよほど生きやすい。

それは、思えばそれだけ長年お勤めしたからでしょう。我慢して東大に勤務し続けた。そこで世間を勉強した。

後から来たメンバーである以上、お勤めは必要です。それで手遅れになることはありません。平均で見れば人間八〇歳前後まで生きるのですから、四〇代でもまだ半分です。

第8章　「自分」以外の存在を意識する

ゼンメルワイスの発見

この数年、古い医学のことについて興味があり、調べていました。たとえば一八世紀から一九世紀にかけてのウィーンの医学です。

その頃、ウィーン大学の産科医にゼンメルワイスという人がいました。この人は消毒法を発見した功績で知られています。

当時のウィーン大学の産科は二つに分かれていました。一つは医者の教育をするための第一産科で、もう一つは助産婦の教育をするための第二産科です。ゼンメルワイスは第一産科に所属していました。

産科では、産褥熱《さんじょくねつ》が問題になっていました。お産の後に母親に高熱が出る感染症です。

その頃は、この病気で三割ほどの母親が産後に亡くなっていた、といいます。

当時、この病気には特定の「悪気」というものがあると考えられていました。「わるぎ」ではなく「あっき」と読みます。災いを起こす「気《き》」です。ゼンメルワイスはこの説に疑問を持ちました。というのも、第一産科と第二産科を比べると、前者のほうが圧倒的に産褥熱で亡くなる患者さんが多かった。ところが、二つの科の施設などに違いはない。

もしも「悪気」が原因であれば、このような差は出ないはずです。では、どこが違うのか。調べていくうちにわかったのは、第一産科のほうは医者が産褥熱の原因を究明するために病理解剖をして、そのあとで妊婦の診察をしていたということです。第二産科のほうの助産婦は解剖をしません。これが二つの産科の違いでした。

調べてみると、道端でお産をした人は産褥熱が出る割合が低いこともわかりました。そういう人は、医者の診察回数が少ないのです。

またある時、彼の同僚が解剖の最中、自分の指をメスで傷つけてしまうことがありました。この同僚はその後、産褥熱と同じ症状で亡くなります。

まだ「病原菌による感染」といったことがわかっていない時代でしたが、これらのことから彼は、産褥熱の原因は外部にある邪悪な「気」などではなく、人間自身が持っている菌にあるのだと思い至ります。

この発見が消毒法へとつながります。ただし、歴史上は彼の功績にはなっていません。それは後任の医者が彼の仕事を否定する、などといったことが関係しているのですが、その話はここでは省きます。

当時のウィーンの医学には「治療ニヒリズム」という考え方がありました。これは現在の自然食品志向にも似た、自然志向の考え方です。

「治療に関しては、できるだけ自然の治癒力に任せよう。医者が余計な手を出すと、かえって自然の邪魔をすることになることが多い」

ゼンメルワイスの発見の背景には、この考え方があったようにも思えます。病院には病原菌がうようよいる。それは現代においても同じで、院内感染がよく問題になるのはご存知の通りです。

治療ニヒリズムとは簡単にいえば、病気について「できるだけ、そっとしておこう」という考え方で、待機的医療だといえます。

これと反対の考え方は、「医者が積極的に治療にかかわっていったほうが、患者のためになる」というもので、こちらは積極的医療だと分類できます。

「がんと闘わない」は正解か

この話は、近年、医師の近藤誠さんが提起している問題とも関係しています。近藤さんは「がんと闘うな」といった発言で物議を醸《かも》しました。近藤さんの考えを簡単にまとめると、次のようになります。

「がんには、治療によって治せるものもあるが、どうやっても無駄なものもある。また、放っておいても問題ないものもある。転移しないものや、自然に消える『がんもどき』は放っておいても問題ない。無駄なものや、放っておいても問題ないものに対して、手術したり、抗がん剤を投与したりといった医療を施したところで、患者さんの負担にしかならないし、時には逆に命を縮めることだってある」

おわかりのように、典型的な待機的医療の考え方です。近藤さんの考え方は目新しいもののように受け止められていますが、そうでもありません。ウィーンの例に限らず、実は大昔からある伝統的な考え方の延長線上にあるといえるでしょう。

こうした考え方は正しいのでしょうか。

現在の日本の医療は、基本的に「出来高払い」ですから、積極的な医療を行わないと医者はお金を貰うことができません。近藤さんのような考え方が徹底されれば、製薬会社も医者も儲からない。

相談料や初診料が安いのは、その時点では医療は待機的なものになっているからです。初診の段階では、とりあえず様子を見て、治療の方針を考えるだけですから、待機的にならざるをえません。いきなり手術するなんて乱暴なことは緊急時以外にはできない。初診で「とりあえずしばらく様子を見ましょう」で済めば、医療費は安くなります。また、「病気にならないような生活習慣を指導する」といったことも待機的医療に含まれます。この場合も、医者や製薬会社はあまり儲かりません。

待機的な医療に対する関心が高まり、共感する人が増えているのには、実際のケースなどを見て、積極的な医療について懐疑的に感じた経験のある人が増えているからかもしれません。

人気アナウンサーだった逸見政孝さんは、働き盛りの時に胃がんになり、大手術を受けましたが、それから間もなく亡くなりました。このケースでは、手術がかえって負担になってしまったのでは、という見方をする人は少なくありません。当時は随分、手術の是非について論争が行われました。

最近では、歌舞伎役者の中村勘三郎さんも似たようなケースだと言えるでしょう。食道がんの手術をした後、一度も社会復帰できないまま亡くなりました。手術が良かったか悪かったかといったことは一概には言えません。しかし、このケースでも、「手術をしなければ、まだ存命だったのでは」と思った人も多いことでしょう。

小渕首相の賭け

このようなケースを見ると、積極的医療が必ずしも良い結果をもたらすわけではない、と感じる人が増えることはよくわかります。それは、その通りなのです。ただし、積極的な医療に意味がないわけではありません。

小渕恵三さんは、首相在任中に脳梗塞を発症した後に、大きな手術をしたものの、亡くなってしまいました。あの時も待機的医療をするという選択肢もあったでしょうし、寿命だけを考えれば、そのほうが延びた可能性はあります。積極的に手術をしないで、とりあえずは生きているという状態を維持することは可能だったかもしれません。

しかし、多少危険な賭けという面はあるにしても手術をした。おそらく、一国の首相が脳障害を抱えたまま延命することと、リスクはあっても、完治する可能性のある手術をすること、その両方を天秤にかけて、後者を選んだということでしょう。これはこれで理解できる選択です。そして、小渕さんの場合には、積極的医療にも意味があるように思えます。

さまざまな事情を考慮すれば、あの時は、そういう賭けに出ざるをえない、という決断が合理的だったのでしょう。

小渕さんの件は、かなり究極の選択に近いので、あまり身近ではないかもしれません。一般の人にとって、積極的な医療の意味が一番わかりやすく見えるのは、怪我のような外傷への治療です。骨折や出血などには、できるだけ素早く適切な処置をしたほうがいいに決まっています。この分野における医学の貢献は相当なものです。

現代人は、誰もが当たり前のように車に乗ったり、スキーを楽しんだりしていますが、それが成り立つのは医学のおかげです。ちょっとくらい怪我をしても治してもらえると思っているからこそ、あんな危ないことが楽しめるわけです。昔の医学レベルだったら、骨折が原因で一生障害を抱えるようなことだって珍しくはなかった。スキーをやる際の覚悟がまったく違ったはずです。

待機的が正解とは限らない

待機的か積極的か。どちらか一つが正解という単純な話ではありません。病気によっても異なりますし、その人の置かれた状況や考え方にもよるからです。結局、それはその立場にならないとわかりません。

私は五〇代の頃、肺に影が見つかったことがありました。結果的にはがんではなかったのですが、もしもそれが肺がんだったならば、どうしただろうと想像してみることがあります。ひょっとすると放っておいたかもしれませんが、若かったから、状態によっては手術を選択したでしょう。ただし、七〇歳を過ぎた今ならば放っておくでしょう。同じ人間に同じ病気が現れたとしても、その人の年齢や置かれた状況によって、判断は変わってくる。

私自身は自分の方針としては、次のように考えています。自分の体の中から出てくる病気に対しては、待機的医療をまず考えてみる。生活習慣病を考えればわかりやすいでしょう。糖尿病になった時に、どんどん薬を使うという積極的医療で治そうとするのがいいか、それとも生活習慣を見直し、運動を増やし、といった待機的医療で治す方法を採《と》るのがいいのか。

一口にがんと言っても、その種類はさまざまです。がんそのものの定義も実のところ十分ではありません。遺伝子異常が原因であることくらいはわかっていますが、どの遺伝子がどのように異常を起こすかは、さまざまなパターンがあるのです。

がんは自分の体の中で起こったもの、身内の反乱です。それに対して外部から手をつければ何とかなる、というのはひょっとすると幻想かもしれない、という気もします。だからといって、「がんになっても何もしない」と言い切ってしまうのは乱暴な話です。明らかに治療が効果を示すがんもあるからです。それは近藤さんも認めています。彼もすべてのがんを放っておけ、などとは書いていません。本のタイトルやコピーだけを見て、「がんは何でもかんでも放っておけばいい」というような雑な理解をすることはお勧めしません。

積極的治療をしていけば、がんも退治できるというのはとても現代人的な考え方だということは言えます。それは意識によって、自分の体はどうにかできる、という考えです。長い間、解剖をやっていれば「意識で体のすべてなんてわかるもんじゃない」ということはよくわかります。

意識というものは、自分の体を把握するためにできたものではありません。もっとも原始的な意識は、外界に対応するため、環境に適応するためです。本来は遺伝子が環境に適応するわけですが、その適応はとても長い時間、何世代ぶんもの時間がかかりますから、もっと現実の環境に適応するのには脳が必要だったわけです。そのために進化したのが人間の意識です。

それ以外には、意識は根本的に他人の行動や思考を理解するためにある。自分の体の把握のためではないのです。

身内の問題

「がんと闘うな」に代表される待機的医療は、基本的には正しい。しかし、一方で欠けている視点もあるように思えます。たしかに患者自身にとっては、「何もしない」がベターな選択肢でありうるでしょう。しかし、身内の人たち、たとえば配偶者や親や兄弟は、愛する人が重い病気だというときに「何もしない」でいられるかどうか。これは案外、重い問題です。

ある緩和ケアにたずさわっている医師から、こんな話を聞きました。その人は外科医

でもあるのですが、九〇歳を過ぎた患者さんにがんが見つかった。手術すべきか、放置すべきか。患者さんに意向を尋ねてみると、

「息子が一所懸命がんばって治療法などを調べた結果、ここに来ることになったのです。それで手術しない、というわけにはいかないでしょうなあ」

第三者から見れば「九〇歳になってわざわざ手術するなんて、無駄だ」と思えるかもしれません。そのことは、第三者が客観的に見れば正しい意見でしょう。私も、その患者の立場ならそう考えるでしょう。

でも、なにかしてやりたいと思うのが、家族としてはごく自然な感情です。それは「客観的に正しい意見」で単純に排除してしまえるものではありません。

もしも一族郎党、関係者全員が、「がんになっても何もしない」という思想を強固に持っているのであれば、問題はないでしょう。でも、そんなことは滅多にありません。まったくない、と言ってもいい。

なぜそう言えるのか。解剖をやった経験があると、よくわかります。死後、献体することに同意している人の解剖が、結果的にできないというケースが、全体の一割くらいはあります。献体に関しては、本人の意思はもちろんのこと、身内の承諾も事前に得て

いるにもかかわらず、です。

なぜ一割は最終的にできなくなるのか。「待った」をかける身内が出てくるからです。それまであまり関係なかったような遠い親戚に限って、「俺は聞いていない。死体を切り刻むなんて許せない」と反対するのです。こういう人が強硬になると、結局、解剖は中止になってしまう。

がんの治療についても、同じような構図があります。たとえ家族が「何もしない」で一致していても、「俺は聞いていない」という身内のことも判断材料にせざるをえなくなる。もしもその人たちの目を気にすれば、「いろいろ考えたけど、何もしないで自然に任せることにしました」なんて通用しません。ということは、「できるだけのことをしてください」と医者に頼むことになるのです。

臨終間際の治療は不要か

もう二〇年も前になりますが、厚生省（当時）の末期医療に関する検討会に呼ばれたことがありました。その時に見たデータを今でもはっきりとおぼえています。患者さんが亡くなるまでの半年間にかかる医療費を月別に示したグラフでした。亡くなるまでの五か月間は、大体横ばいで同じくらいの金額です。ところが最後の一か月だけ倍になっている。亡くなる直前に、やたらと積極的な医療が行われているわけです。

厚生省の言い分としては、「これは無駄な医療費だ」というものでした。彼らは医療費を抑制したい立場なのだから、当然です。客観的に見れば、その言い分は不当ではありません。あと一か月という段階で、手を打ったところで結果は大して変わりません。それで効果が現れるような治療法があるのならば、とっくに試していたでしょう。

しかし、そのような客観的な論理をもとに、単純に最後の一か月分をカットしようとしてもかなりむずかしい。なぜなら、その倍になっている部分は、家族の願望分です。

「無駄かもしれないが、できるだけのことをしてほしい」

こういう感情を持つことは、仕方がないことで、理屈で簡単に片付けられるものではありません。身近な人の死こそが、私たちの現実にもっとも影響する死だからです。

待機的か積極的か。そう簡単に決められるものではないのです。しかし、メッセージは単純化したほうが強くなる。状況を限定すれば、どちらかだと断言することもできるでしょう。

近藤さんの言うことは、一定の条件下で、家族の気持ちを切って考えているからこそ、成り立つものだという面はあります。

効果的な手がない。だから何もしない。というのは論理的には正しいかもしれないけれども、それは「患者の死」をその人だけの問題だと「切って」考えているから成り立つわけです。

「あまりいい手はないけれども、これをやっておきましょうかね」

そういうやり方のほうが、少なくとも家族は救われるという面はあります。特に、うるさい親戚の目を気にする場合はそうでしょう。どんな時でも待機的な考え方を貫くというのは、よほどの信念や信仰がないとむずかしい。

それは目の前にしているのが、「二人称の死」だからです。

「私の死」は存在しない

死には三種類ある、と本書以前に出した本の中でもお話ししてきました。一人称の死、二人称の死、三人称の死です。一人称の死は「自分の死」、二人称の死は「身内や友人など知っている人の死」、三人称の死は「知らない人の死」。

このうち、一人称の死は、大きな問題のようでいて、よく考えると当人にとっては関係のないものです。死んだ瞬間から本人はいないのだから、「私」には関係がない。もしも霊になって天から眺めていても、「私」には手も足も出ません。そのことは現実が証明しています。

また、三人称の死も、基本的に私たちには影響しません。もちろん、たとえ知らない人の死でも、ニュース等で知れば、心が痛むのは自然なことでしょう。しかし、ニュースには流れないだけで、今この瞬間にも日本中、世界中で人は死んでいます。三人称の死について、私たちはいちいち反応はしません。ほとんどの場合、私たち自身の現実には影響しない。三人称の死とはそういうものです。

すると、私たちにとって「死」とは、実は基本的に、二人称の死のことになります。それに尽きる、といってもいい。身内など知っている人の死ほど、私たちの現実に影響を及ぼすものはありません。親の死や、子の死によって、文字通り世界の見え方が変わってくることは決して珍しくありません。

問題は、「一人称の死は大した問題ではない」という結論だけをいうと、今の若い人たちはおかしな方向に行きかねない、という点です。安易な自殺については第5章でも触れましたが、それだけではなく「俺が死んだって大したことではない。死刑にして欲しいから、人を大量に殺す」という思考に進んでしまう人まで出てきました。

昔の人も、結局二人称の死しか現実にはなく、一人称の死には大した意味はない、という考えはわかっていたはずです。にもかかわらず、「私（俺）が死んだってどうってことない」といってやけにならなかったのはなぜか。

親孝行の本当の意味

おそらく、そこで意味を持っていたのが、昔の修身（道徳）の教えでしょう。たとえば「親孝行」。人間が最初につきあう自分以外の人は、親です。それを徹底的に大切にしろ、とはどういうことか。親のほうは「子どもは親の言うことを聞くべきだ」という教えだと考えているかもしれません。でも、それは誤解です。

親孝行は、子どもに対して「お前はお前だけのものじゃないよ」ということを実は教えていたのです。

特攻隊の生き残りの人たちに、なぜあんなことをしようとしたのか、話を聞くとみな同じことを答えます。親、家族、故郷の人たち、村や国、つまり共同体のためだ、と。

そうした考え方を戦後は徹底的に否定しました。その結果、自分の人生は自分のためにある、という考え方が暗黙の前提とされました。その延長線上に、個性の尊重、自分らしさや「自己実現」といった考え方があるのでしょう。

日本の伝統的な考えからいえば、「特攻隊」というのは当たり前の行為です。自分のために生きているわけではない、という考えがベースにあるからです。だから、家族や共同体のために命を捨てることは自然な感情だったわけです。

そうした考えを明治以降、日本は変えようとしてきました。すでに述べたように、日本は明治以降、「自己」または西洋的近代的自我というものを無理やり導入しようとしたために、ややこしくなってしまった。

世間よりも先に「自己」がある。何よりもそれは尊重されるべきだ、という考え方です。何よりも「自己」が大事だ、という意識でいけば、特攻隊がとんでもない野蛮な行為だと受け止められるようになるのは当然でしょう。

福沢諭吉の勘違い

ここで別に特攻隊を賛美したいわけではありません。親孝行が消えてしまったことの背景や、その影響を考えているだけです。

戦後、「何よりも自己が大事だ」というように前提が変わってしまった背景には、もちろん戦争への反省という面があります。

問題は、かつて親孝行を教えていた側も、もともとの意味を深く考えていたわけではない、という点です。

そのせいで、いつの間にかその教えが単なるルールやタテマエになってしまって、それをタテに無理をいう人が出てきました。「当たり前でしょ」と言って本当の意味を考えぬまま、絶対的なルールのように押し付けてくる。「お前はお前だけのものじゃないよ」という真の意味を教えるのではなくて、「とにかく親を大事にしろ。問答無用だ」という押し付けになってしまう。これが、この手の古い教え方の問題点です。

それがよくわかるのが、福沢諭吉の例です。明治維新の後、諭吉は「親の敵《かたき》」という表現まで使って、江戸時代の門閥制度を厳しく批判しました。諸悪の根源は、身分の差別などのそういう古い制度にあるのだ、というわけです。

しかし、江戸幕府は決して門閥の論理だけで動いていたわけではありません。すでに述べたように、もっと現実に即した、自由度の高いシステムが存在していた。無名の人を上手に探して、登用するシステムが江戸の社会を安定させてきたわけです。タテマエの身分制とは別に、臨機応変に実力主義が採られていたのです。

それではなぜ、諭吉は「親の敵」とまで嫌ったのか。彼の故郷は中津藩（今の大分県中津市）です。そのくらいの田舎になってしまうと、タテマエのほうのルールだけが重視されていた可能性があります。わかりやすく言えば、「俺は偉い家に生まれたから、偉いのだ」と本気で考える人がたくさんいて、幅を利かせていた。能力が高いかどうかなんて関係ありません。

だから、才能はあるが身分は低かった諭吉にとっては、「憎き門閥制度」ということになったのです。

話を「自己」のことに戻しましょう。明治以降、入ってきた西洋近代的自我という考え方は、伝統的な日本の考え方とは相容れませんから、間違いなく日本の世間では摩擦を起こします。そのことをよく理解していたのが、夏目漱石です。

漱石は、ロンドンにまで留学して、西洋の文化・思想を学び、個人主義というものについて考え抜きました。「私の個人主義」という講演も残っています。

しかし、そこまで学んだ彼の晩年の境地はといえば、「則天去私」。結局、天について私を去る、つまり「私なんかない」という考え方に達した。

　この考え方は仏教そのものです。日本の伝統的な文化に基づいて考えを進めていくと、そういう思考にならざるをえなかった、ということでしょう。ふつう、「私」というのは、仏教では「小我」、つまり小さい我といいます。東と西に思想は分かれていき、西洋は我を立てるほうに、東洋は我を消すように進んでいった。

「我」はいらない

　私自身、この年になると、ますます「我」を消すほうに向かっているように感じます。そんなもの要らない、「俺」がどうした、という感じです。

　ノーベル賞というものも、きわめて西洋的な価値観の産物です。その人の仕事を「個」の成果だと捉えて、表彰する。本当はその成果には個人ではない、さまざまな人の力があります。そもそも、大前提として、それを理解する人がいなければ、その成果はない。しかし、あくまでも個人の力に起因させようとします。これは一九世紀以降の西洋科学の典型的な考え方です。

　なにかの成果を「俺の実力だ」とアピールする人は、まさに近代以降の考えに染まっている人だといえます。なにか大きな発明や発見をした人の中には、「俺のおかげだから、もっと金を寄越せ」と声高に言う人がいます。そういう人には、もうちょっと折り合いをつけたらどうですか、と言いたくなります。

何の報償もごほうびもなければ、文句の一つも言いたくなるでしょうが、そういうことは滅多にありません。

そして、こういう声高な人に対しては、「違和感を持つ」という日本人が今でも結構多いように感じられます。これは、私たちの根本には「我を消す」という考えがあるからです。このような日本的な考えについては、批判的な人もいることでしょう。

「そんなことだから、日本はアメリカや中国と対等に渡り合えないんだ。彼らの『個』の力の強さに勝つには、日本人も、『個』をもっと強烈に主張できるようにならなければいけない」

実際、これはある面から見れば、日本の「弱さ」なのでしょう。日本というよりも、仏教的な考え方の持つ「弱さ」だといったほうがいいかもしれません。仏教が残っているところを見ると、日本以外では、中国、インドを除く、その周辺です。モンゴル、チベット、タイ、スリランカ、ブータン、マレーシア、ラオス、カンボジア、ベトナムには、まだお寺が残っている。そういう国は、日本同様、アメリカや中国のような「強さ」はありません。

しかし、こうした国々には別の共通点もあります。自然が残っているのです。日本は先進国の中では例外的に、自然が多く残っている国です。国土の六七パーセントは森林です。日本は自然が無くなったと嘆く人もいますし、たしかに昔よりは無くなったのですが、それでもこんなに森林が残っている先進国はありません。例外的にスウェーデンにはかなり残っていますが、それは伐採すると凍土が溶けてしまうという問題があり、別の事情によるものです。

ともあれ、このように自然が残っていることと一つを取っても、日本的な考え方が悪いとは言えないように思えます。

意識外を意識せよ

「我を消す」といっても、「一億玉砕」「特攻」を推奨するつもりは、まったくありません。

意識は一つになりやすいから、みんなでおかしな方向に一致して暴走することもあります。それが日本では一億玉砕、ドイツではナチズム、アメリカならばマッカーシズム

（反共主義）という形で表れたのでしょう。これは注意しなくてはならない点です。

それを唯一止める方法は、意識を疑うことです。決して今の自分の考え、意識は絶対的なものではない。その視点を常に持っておくことです。

そもそも、戦前の日本人のほうが、自然に接していたはずです。田や畑も身近だった。それにもかかわらず、ああなってしまったのは、どこかに弱さがあったからでしょう。「一億玉砕」のたぐいを言う人は、必ずあるイデオロギーに基づいているわけです。そのイデオロギーは、もちろん意識の産物です。

言葉でつじつまをあわせているから、理屈としては成り立っていることもあるでしょう。しかし、それは現実とは別のものです。あくまでも言葉に過ぎません。

イデオロギーや言葉よりは、そこに生えている草木のほうがよほどたしかでしょう。私が繰り返し「自然に触れよ」と言っているのは、そういう意味があります。「自分の意識では処理しきれないものが、この世には山ほどある」

そのことを体感しておく必要があります。

常に「意識外」のものを意識しなくてはならない。

とても矛盾した物言いに感じられるかもしれません。別の言い方をすれば、「意識はどの程度信用できるものなのか」という疑いを常にもっておいたほうがいい、ということです。大して信用できないというのはすでにお話ししたとおりです。

第9章　あふれる情報に左右されないために

純粋さの危うさ

今の若い世代は、かなりの時間をパソコンやケータイに費やしています。今後もその傾向が強まることはあっても、逆はないでしょう。

それについて、いいとか悪いとかいうつもりはありません。「若い者はネットばかりやっていて、人と接しない。新聞も本も読まない」などと嘆いても、あまり意味がない。なぜならこういう傾向が強まるという流れはおそらく変わらないからです。

パソコンやケータイに限らず、人は便利なもの、面白いと思うものに慣れていく。日本のアニメやゲームがアフリカの奥地まで浸透していきました。こういう流れは、逆に戻すことはできないものです。それを知ってしまうと、もうそれ以前には戻れません。

ただ、考えておいたほうがいいのは、ではそれによって人がどう変わるのか、という点です。

容易に想像できるのは、人と直面するのが苦手な人が増えるということでしょう。これはすでによく指摘されています。画面に向き合っている時間が増えれば、必然的に他の時間は減る。減る中には、人と接する時間が含まれています。フェイスブックやツイッターを活用することで、以前よりもかえって人と会うようになった、という人もいるでしょうが、大筋としては減るはずです。

「たいていの用件はメール等で済むんだから、別にいちいち会う必要はないでしょう」そういう人もいることでしょう。でも、人と生で接することと、ネット経由で交流することを同じにはできません。

生でつきあうと、相手の固定したイメージを持ちづらくなります。「この人はこういう人だ」と決め付けても、その固定観念は往々にして裏切られます。ごく簡単な例でいえば、写真で見て「ものすごい美人だ」と思っていたのに、実際に生で見れば、それほどでもなかった、なんてことはあるでしょう。

寝起きの顔を見て幻滅するのは、相手について「きちんと化粧した顔」のみをイメージした場合に起きる事態です。しかし、生身の人間ならば、きちんと化粧をしていない状態があるのは当たり前です。

ネット経由のつきあいにおいては、どうしても「ノイズ」が消えていくということになります。より純粋志向になっていく、といえます。ケータイやネットでの交流が主になっている人は、生の人づきあいを「ピュア（純粋）ではない」と感じるようになるのではないか、という気がします。もともと若い人は純粋志向があるので、そういう傾向が強くなる。

純粋といっても、この場合かならずしもいい意味で言っているのではありません。

排外デモの純粋さ

近頃、東京の新大久保あたりでは「排外デモ」がよく行われているそうです。中国人や韓国人に対して悪感情を持つ人たちが、かなり激しい抗議運動をしている。「お前ら出て行け、死ね」と訴えながら、在日韓国人が多い地域をデモ行進するのです。

こういうこともネットの特性と関係しているようにも思えます。

ネット上には、「中国人や韓国人はとんでもない奴らだ。なぜなら……」という情報があふれています。そういう情報をもっぱら載せているサイトがあるのです。そこには、「中国人や韓国人はとんでもない奴らだ」という情報が「純粋」に選ばれて掲載されている。そこにのめりこめば、当然、「あいつらはとんでもない」となる。

しかし、実際の中国人や韓国人と接してみれば、「とんでもない」以外の情報がたくさん入ってくるはずです。それは、「とんでもない」という側からすると、いわば「ノイズ」です。

当然のことながら、会ってみれば、イメージ通りの嫌な人もいるでしょう。おそらく、たくさんいます。しかし、その一方でいい人もいるし、美しい人だっているでしょう。そんなのは当たり前です。日本人も同じですから。

しかし、生のつきあいが減ると、どうしても純粋な方向にいってしまう。

別に排外デモをしている人だけを非難するつもりで、この例を出しているわけではありません。中国、韓国の側でも彼らにとって都合のいい情報だけを「純粋」に選んでいて、「日本人はとんでもない」とやっています。彼らは彼らで、勝手にノイズを排除して極端な思考、行動になっているわけです。

「オレオレ詐欺」に引っかかる人が多いことも同じようなことです。電話でやり取りするのは、基本的に音声だけで、それ以外のノイズが入りません。「お金を振り込んで欲しい」という情報を相手に伝達し、純粋に情報のみをやり取りするだけならば、音声か文字があれば十分です。顔を見せる必要はない。でも、だからこそ騙しやすいし、騙されやすい。

風景やペットといったものまで、ネットで楽しむという人も増えています。ペットの可愛い様子を撮影した動画は、ネットで人気を集めています。ペットの可愛さをできるだけ「純粋」に集約したものだから、人気になるのもわかります。

でも、実際にペットを飼えば、可愛さだけを堪能できるわけではない。そんなことは、すぐにわかります。トイレの世話もしなくてはいけないし、病気になったら病院に連れて行かなければならない。そして、死んだらその始末もしなくてはなりません。

情報過多の問題

現代は「情報過多」だと言われます。情報過多というのは、別の言い方をすれば、身につかない情報ばかりが増えていくことです。知っていても、役に立たない。

手に入る情報が増えていけば、そのぶん賢くなるという単純な話ではありません。

ネットを使えば、たいていのことがすぐにわかる。そう思っている人もいるでしょう。でも、その「すぐにわかる」点こそが、ネットの問題点です。なにか知りたいことが出てくる。それを入力して「検索」とクリックすれば、かなりの確率で「答え」が出る。

何が問題か。それは数学を教わるのと同じようなものだからです。基本的に数学は教わってはいけない学問です。歴史などは、すでに事実とされている知識をおぼえていかないと、話が進みません。ふつうの人が、自ら史実をいちいち掘り起こす必要はない。

数学の場合は事情が異なります。問題の解き方や答えを丁寧に教わると、かえって力がつきません。応用問題ができなくなるからです。

もちろん、いくら何でもイコールの意味とか、基本的なことは人に教わらざるをえないという面はあります。実際の教育現場では、公式を教えることも仕方がないでしょう。すべての生徒に、二次方程式の公式を発見させるのは骨が折れます。

しかし、公式を丸暗記することには意味がありません。生徒の側は、公式を教わったうえで、なぜそれが成り立つのかを、最初から自分でもう一回やってみなくてはいけません。その手間が必要なのです。

現実のテストでは、公式を丸暗記しておくだけで、正解を出せる問題もあるでしょう。だから、それでテストの点数はある程度取れるかもしれません。

しかし、それでは考える力が身についたことにはなりません。

公式の丸暗記というのは、単なる知識を増やしているにすぎないのです。

数学の場合は、公式を導き出すまでの論理が大切で、その論理をつくることが、考える、ということです。

もしも公式を導くのがむずかしいとすれば、それは時間をかけないからです。

数学ができない人の典型的な思考パターンは、「2aマイナスaは?」と聞かれて「2です」というやつです。念のために言っておきますが、正解は「a」です。

では前者が絶対に間違いかといえば、そんなことはありません。2aからaを取れば2になる、というのは、数学とは別のルールのうえでは正しいとされることもあるのです。しかし、数学のルールでは違う、というだけです。これがわからない子どもには、「2aとは、aが2つあることを簡略化して書いているんだよ」というところから丁寧に説明しなければいけない。それは少々面倒かもしれませんが、そうむずかしい話ではない。

ところが、丁寧に説明することを怠るから、ついていけない子どもが出てくる。そこでつっかえた子どもは、「算数って無茶苦茶だよ」と抵抗する。その抵抗は自然な反応ですから、それを乗り越えられるようにすればいいだけの話です。

そういう過程を経ないで、ただ「２ａマイナスａイコールａだ。つべこべ言わずにおぼえろ」と頭に叩き込ませたところで、数学ができるようになるわけではないということは、おわかりでしょう。

ネットで検索すれば、「答えのようなもの」はたくさん出てきます。そうした情報があふれています。しかし、さほど意味のない知識も多いのです。

メタメッセージの怖さ

情報過多と関連して気をつけたほうがいいことがあります。それは、「メタメッセージ」の問題です。メタメッセージとは、そのメッセージ自体が直接示してはいないけれども、結果的に受け手に伝わってしまうメッセージのことを指します。

たとえば私の生まれた日の新聞を見てみれば、すべてが支那事変関連のことばかりです。それはつまり、「今、中国で行われている戦争以外に重要なことはない」というメタメッセージになっている。もちろん、そんな表現は紙面のどこを見ても書いてありません。中国や日本で起こっている個別の事件、事象を伝えているだけです。しかし、新聞の読者は知らず知らずのうちに、「戦争以外に重要なことはない」というメタメッセージを受け取ってしまうのです。

問題は、メタメッセージというものは、受け取る側が自分の頭でつくってしまうという点です。自分の頭の中でつくったものですから、「これは俺の意見だ」と思ってしまう。無意識のうちにすりかわってしまうのです。これが、とても危ない。「自分の意見」ならば、当然「自分」は尊重しますし、信じます。もとはといえば新聞から得たメッセージなのだけれども、そんなことには気づきもしません。

メタメッセージは、意識されないことが多いのですが、相当強く受け手に影響を与えます。ある時、週刊誌の対談に呼ばれたら最新号を渡されました。その号には「寝たきりにならない食事」という特集が載っていました。

「なんでこういう特集をするの？」

と聞くと、

「この特集、三回目なんです。やると売れるんです」

この特集を何度もやると、読者にどういうメタメッセージを伝えることになるか。それはたとえば、「食事に気をつければ寝たきりにはなりません」ということです。さらにいえば「自分の体の問題は、頭（意識）次第で何とかなる」ということでもあります。

医学の勘違い

体が頭（意識）次第で何とかなる、というのは、まさに今の医学界が勘違いしている点ですが、こういう考え方が知らず知らずのうちに読者の意識に刷り込まれます。

ノーベル賞を取った山中伸弥教授のiPS細胞への期待にそれがよく出ているでしょう。人間が細胞をどうにかすれば、体は何とかなる、という考え方を多くの人が疑わずに受け入れています。そういう研究にはお金も集まりやすい。

だから、「iPS細胞って安全なのか」という意見はほとんど聞こえてきません。

よく、「遺伝子組み換え大豆」を使った食品の安全性について心配する人がいます。私自身は、その種の食品の安全性をあまり心配していませんが、仮にあれが心配だというのであれば、iPS細胞も心配したほうがいいでしょう。生物学者の福岡伸一さんは、iPS細胞とがん細胞は生物学的に見ると、よく似ている点を指摘しています。iPS

細胞そのものが、がん細胞になってしまう可能性だってあるのです。

誤解のないように言っておきますが、私も福岡さんも新しい治療法が生まれることを期待していないわけではありません。しかし、まだよくわからないブラックボックスの部分がかなりあるから、簡単に応用へと進められるわけではない、ということです。

もとが細胞ですから、人間が作ったものではありません。車の部品ならば、一から自分たちで作っているので、その成分、性質を把握できます。原料の鉄の部分で手抜きをされていたらまた別の話になりますが、基本的には全部わかっている。

しかし、動物の細胞はそうはいきません。たとえマウスの細胞であっても、何十億年もかけてできあがったものなのです。

当然、山中教授ご自身もそれはご承知のはずです。応用がそんなに簡単に進むものではないことは誰よりもわかっているでしょう。

ところが、iPS細胞に関しては、こういう否定的な意見はほとんど聞きません。それは、「体のことは頭（意識）で何とかできる」ということや、「科学が明るい未来を切り開く」といったメタメッセージが、かなり深いところまで浸透してしまっているからです。個々のメッセージではなく、こうしたメタメッセージは無意識のうちに、考える大前提になってしまっている。だから、疑われにくいのです。

なぜ政治が一面なのか

もっと身近な例としては、新聞の紙面構成そのものにもメタメッセージが含まれています。なぜ新聞の一面は政治関連の記事が多いのか。一面ではなくても、二面、三面は政治で、その次に経済……という並びは、ほとんどすべての新聞で共通しています。

本来、新聞における「メッセージ」は、個々の記事に書かれている情報や主張のはずです。しかし、記事の並びは別のことを伝えています。要するに「政治や経済こそが重要なテーマで、知っておくべきことだ」というメタメッセージです。

数多く流通している情報が、さまざまなメタメッセージを発している。必ずしも正しいとはいえないメタメッセージが積み重なっていくことが、人々に与えている影響はかなり大きいのではないかと思います。

新聞社は「政治が世の中で一番大事だ、なんて主張しているつもりはありません」と言うでしょう。週刊誌は「体は意識次第で何とかなる、なんて乱暴なことは言っていません」と言うでしょう。実際、その通りなのですが、受け手にそういうメッセージが結果的に伝わってしまうのです。

軍国主義の誕生

たった一つのメタメッセージが、日本中を覆っていたのが、戦時中という時代です。当時、「日本軍国主義」という主義が存在していたわけではありません。単に、新聞が戦争のことばかり記事にしていただけです。そして、そこから「戦争以外に大事なことはない」というメタメッセージを受け取って、「自分の考え」にしてしまっていたのは、読者である国民です。ほとんど全国民が、そういうメタメッセージを受け取っていたから「日本軍国主義」ができあがったのです。

戦争中の新聞から国民が受け取っていたメタメッセージは、つきつめれば「戦争以外に大事なことはない」だけだったと言えるかもしれません。国中がそのメタメッセージに動かされていました。

ところが、今、ネットが誕生したことで、世界では無数のメタメッセージが生まれている可能性があります。

新聞や雑誌とは異なり、見る側が自分のお気に入りの情報だけを見続けることが増えました。「中国人、韓国人はとんでもない奴らだ」というページを「お気に入り」にして、そればかり見ていれば、「中国人、韓国人の問題より重要なことはない」というメタメッセージが頭に刷り込まれます。「原発がいかに危ないか」というページばかりを見ていれば、それ以上に重要な問題はない、ということが刷り込まれていきます。

そういう人たちに、うっかり「そういう問題に興味ないんだよね」などと言ったら、きっと怒られることでしょう。

「こんなに重要なことに興味を持たないのか！　我々はこの問題に向き合うべきだ」

一昔前ならば、非国民扱いされたことでしょう。でも、当然のことながら、現実の世の中では常にいろいろなことが起きています。ネットで特定の情報ばかりを見ていると、そのことをついつい排除してしまう。

生きていることは危ないこと

メタメッセージと、それにまつわる問題自体は大昔からあることです。ただし、最近思うのは「情報過多」が、実は「メタメッセージ過多」になっているのではないか、ということです。そしてメタメッセージが過多になると、それぞれがぶつかり合ったり矛盾したりします。

その結果、「混乱する」「わからない」と思う人が増えているのではないでしょうか。「私はこう思っていたのに」と嘆くが、実はその「こう」は自分が勝手にメタメッセージを取り込んで、考える前提にしていただけ、ということもあるのではないでしょうか。個々のメッセージ（記事）は、単なるデータに過ぎないものが多い。しかし、それが膨大な量になってきたときに、受け手側は勝手に別のメッセージを取り入れてしまうのです。暗黙の前提にしてしまう。

情報過多になり、知らず知らずのうちにメタメッセージを受け取り続けていると、本当に何が大事なのか、そのバランスが崩れてしまうように思えます。

外国で、私が乗ってきた飛行機が、降りた直後に墜落したことがありました。私は、その話をあちこちで話すようにしています。「乗っていた飛行機が落ちた」と話すので、奇跡の生還をしたように勘違いする人もいますが。

なぜそういう話をするのかといえば、「人生なんて危険なことがたくさんある」ということを強調しておきたいからです。私は老後のことも、ほとんど考えないできました。ふつうの人よりも、危険なところに普段から好き好んででかけているわけです。虫捕りに行けば、常に危険はある。山で落っこちることもあれば、虫にさされて病気になることもある。そういう人間からすれば、老後も何もありません。常に危ないといえば危ないのです。

若いのに難病で亡くなる方もいます。こういう人にとっては、老後なんてありません。生きているということは、そもそも危険なのです。それは誰にとっても同じです。当たり前のことなのですが、自分の都合のいい情報だけを選択していくと、そういうこともピンとこなくなってしまいます。簡単にいえば、現実離れしてしまうのです。

テヘランの死神

ちょっと話はそれますが、原発事故のあとに思い出した寓話があります。

事故直後、放射能を怖れて遠くに避難した人たちがいました。本当は、避難することのリスクもあり、それを伝えている人もいましたが、放射能を過度に怖れていた人たちは、その危険性を強調するような情報ばかり見ていたから避難したのです。

あの時、本当は避難しないほうが良かった老人がたくさんいました。無理に避難したことで、結果的に健康を損なって、中には命を落としてしまった人まで出てしまいました。そのことは事前に言われていたけれども、なかなか伝わらなかった。

冷静に見れば、どう考えても影響がなさそうなところ、たとえば東京に住んでいるのに関西や九州に逃げる人までいました。警戒区域などではないのに、こういう行動に出る人がたくさんいると知った時に、少々乱暴な言い方ですが、「世間が壊れてきた」と感じたものです。少なくとも戦時中は、そんなことは世間が許さなかったでしょう。

「少しでも不安があれば逃げて何が悪い」と言われるかもしれません。その人は、起きた状況と自分たちを切り離しています。それまで同じところに住んでいて、その場にとどまる人たちのことも切り離しています。少なくとも、その場にいる人たちと共にいようとは考えなかった、ということでしょう。

もちろん、どういう行動をするのかは自由ですし、責めるつもりはありません。その時、思い出したのが、「テヘランの死神」という寓話でした。ヴィクトール・E・フランクルの『夜と霧』（みすず書房）の中に出てきます（以下、同書をもとに紹介します）。

裕福で力のあるペルシャ人が、召使をしたがえて歩いていると、急に召使がこんなことを言い出します。

「今しがた死神とばったり出くわして脅されました。私に一番足の速い馬を与えてください。それに乗ってテヘランまで逃げていこうと思います。今日の夕方までにテヘランにたどりつきたいのです」

主人が言われた通りに馬を与えると、召使はそれに乗って去っていきました。その後、主人が館に入ろうとすると、死神に会ってしまいます。そこで主人が、

「なぜ私の召使を驚かせたのだ、怖がらせたのだ」

と言うと、死神はこう答えました。

「驚かせてもいないし、怖がらせてもいない。驚いたのはこっちだ。あの男に、ここで会うなんて。やつとは今夜、テヘランで会うことになっているのに」

これは寓話なので、いろんな解釈が成り立ちます。どう解釈するかは、お任せします。

柳の下にいつもドジョウはいない

人間の脳は、勝手にメタメッセージを作ってしまう強い癖を持っています。一般化してしまう、とも言えます。

柳の下にドジョウがいたのを見た人は、「柳の下にはドジョウがいるものだ」と勝手に思ってしまう。本来は「自分が見たときに、この柳の下に、このドジョウがいた」と

いう一つの視覚情報を得ただけなのに、勝手に一般化して法則にしてしまうのです。メタメッセージを受け取るということは、自分の頭の中で、下（具体的な事象）から上（一般的な法則）を勝手に作ることです。

風邪を引いたときに、秘書が「先生、このクスリを飲んだらどうですか。私、これを飲んだら翌日には治りましたよ」と言ってきたことがありました。

彼女は、「クスリを飲んだら治った」と勝手に一般化しているわけです。

「クスリが効いたのか、その前に食べた焼肉が効いたのかはわからないでしょ」

これが私の答えです。

一つの例を見て、一般化を進める思考法はたいてい間違えます。このことを、まともな科学者はよく知っています。こういう思考法では九九パーセントが間違える、といってもいいくらいです。

新聞の社会面やテレビのニュースばかりを見ていると、日本では凶悪な少年犯罪がどんどん増えているようにしか思えません。そういう恐怖を口にする人もいます。しかし、実は凶悪犯罪は減っていることはデータが示しています。個々の事件のニュースでは、少年犯罪の増加を伝えているわけではありません。○月○日に、少年が凶悪犯罪を起こした、ということを伝えているだけです。それなのに「増加している」と受け手側は勝手に受け止める。

新聞を読んでいたら、大きな事件が連続しているように思いますが、そんなことはありません。たいていの人にとっては、大きな事件のない、いつもと同じような平穏無事な日なのです。ほとんどの人が平穏無事な日を過ごすために努力をしています。だから、世の中何とかなっています。自動車を運転する人は事故を起こさないように努力をしていて、その努力はほとんどの人にとって実を結んでいます。でも、新聞に出るのは事故だけです。「今日も三〇〇〇万人がハンドルを握りましたが、さいわいほとんど皆無事でした」ということは伝えられません。

社会が暗くなった、閉塞感で覆われている、と感じている人の中には、ニュースを見すぎ、読みすぎというケースもあるのではないでしょうか。

だから私は前々から、テレビのニュースで「今日はニュースがありませんでした」という放送をやってみればいい、と言っているのです。それが無理ならせめて、すべてのニュースを伝え終えた後に、「……とはいえ全部済んでしまったことです」と締めくくってみてはどうでしょうか。

鎖国の効能

新聞がない時代は、知り合いの話とか、立て看板程度からしか情報は得られなかったでしょう。新聞が出てきて、そのあとラジオ、テレビが出てきて、今はネットだ、ツイッターだとなっています。情報が多すぎて困ってしまうと感じている人もいるのでしょうが、一方で、多いほうがいいのだと思っている人も多いようです。次々、新しいツールに人々は群がっています。

しかし、情報が多いということは、それだけ知らず知らずのうちにメタメッセージを受け取っているということです。しかも、それは互いにぶつかり合い、矛盾してしまうことも珍しくありません。それでは混乱する人が現れるのも当然でしょう。

人間は、処理能力を超えた情報量が入れば、混乱します。江戸時代の鎖国には、その種の混乱を防ぐための知恵という面もあったのかもしれません。「あまり大量の情報を入れるのはまずい」と無意識に考えたのです。天下泰平であれば、一般庶民にどんどん情報を与えても別にいいことはない。「由《よ》らしむべし、知らしむべからず（民を治めるにあたっては、施策に従わせることはできるが、その道理を理解させることは難しい。

つまり、施策に従わせればよく、その道理を民にわからせる必要はない）」というのも、その思想でしょう。

「庶民は無知な方が幸せだ」などと言うつもりは、まったくありません。ただ、それと同様に、情報が多ければ多いほうがいいというのも、とても単純な考え方です。どのくらいの情報量が人間に、あるいは自分に適切なのか、はむずかしい問題です。これはエネルギー問題とよく似ています。「多いほど幸せ」ではないことはわかっている。

適切な情報量とは

情報が多すぎると混乱することがわかっている人は、自分で適切に遮断をしているでしょう。しかし、多くの人はそのことに気づいていないか、気づいていても、どこが適切か、というあたりを見出せていないのかもしれません。

私は、本は読みますが、新聞はチラチラ読むという程度。朝から丁寧に読むなんてことはしていません。インターネットも虫の論文などが必要な時は使うけれども、それ以外はほとんど使わない。ツイッターもフェイスブックもやりません。テレビは食事中に、ニュースを見るくらいです。ＡＫＢ48というのがどういうものか、最近教わったくらいで、「あかんべえ」と関係あるのかと思っていました。

こういう生活スタイルはずっと変わらないけれども、まったく困っていません。この齢になったら流行の先端にいたい、とも思いません。若い頃にインターネットがあったらどうだろうか。やはり、あまり熱心にやらなかったような気がしています。

フェイスブックやツイッターなどは、閉じられたサークルの間での連絡にはいいのだろう、とは思います。虫好きなんて孤独なものだから、同好の士と連絡を取り合いたくなるのもわかります。しかし、不特定多数の人に自分の情報を発信するというのは、少なくとも私はやろうとは思いません。一所懸命に、ツイッターなどをやっている人を見ると、よくやるよなあ、と思います。

私が思いつきでなにか書いたら、不謹慎なことだらけになってしまいます。原稿を書くのならば、かなり慎重に進められますし、編集者から「これはまずいですよ」といった指摘も入ります。だから安心して書ける。思ったままに書いて、それがすぐに公になることはとても怖い。かといって、絶対問題にならないことばかり書くことにしたら、くだらないことばかりになる。日常会話かせいぜい政治談議くらいですが、それだって問題だと言われるかもしれません。

ツールは面倒くさい

パソコンやインターネットのような新しいツールなどで、世の中がよくなる、進むと考える人もいることでしょう。しかし、話はそう簡単ではありません。新しい顕微鏡を使いこなすのだって容易ではないのです。

顕微鏡の精度が上がれば上がるほどいいじゃないか、というのは実際に虫を見ていない人の考えです。精度がどんどん上がると、要らない情報も見えてくるようになります。そういう情報を瞬時に取捨選択することができればいいのでしょうが、なんとなく捨てるに捨てられない気もして、ついついプリントアウトしてしまう。すると、紙ばかり増えていく。でも、それで大きな発見があるかといえば、たいしたことはわからない。

虫を見ない人でも、家の中で天井を見上げてみればわかります。今、頭の上にあるのが天井だということは肉眼で見ればすぐにわかる。しかし、かりに顕微鏡の拡大率でその天井を見たらどうなるか。

たぶんゴミやホコリが見えて、全体像は見えなくなります。それが天井だかどうだかはわからない。精度が上がって、かえってものは見えなくなってしまうのです。

ものが詳細に見えるということは、それ以外の世界がぼけることにつながる。

これは、学者がおちいりやすい落とし穴です。あることをきちんと調べてわかったとしたら、その分だけ世界がクリアーになるか。残念ながら、そんなに単純な話ではありません。特定のことがきちんとわかったということは、それ以外の部分はわかっていないこともまたわかった、ということでもあるのです。ところが、「ここがクリアーになった」と世の中に対してアピールすると、「他の関係している部分もクリアーなのだ」というメタメッセージを与えることになります。

学生には、こんな話をして、このことを伝えています。水（H_2O）の分子式は、一つの酸素（O）に二つ水素（H）がくっついている形で表されます。黒板に書いたH_2Oの分子式は、実際のH_2O分子をものすごい倍率で拡大したものになります。学生には、「これが何倍くらいになるか計算してみろ」と言います。

その倍率を人体で置き換えてみると、足が地球にあって頭が月にあるくらいの大きさになってしまう。その大きさの人体を見ても、全体像なんかつかめるはずがない。もしも解剖したら、全部がわかるのにはどれだけ時間があっても足りない。

黒板に「H_2O」と分子式を書いてわかったつもりになっている専門家は、実はその分だけわからなくなっていることもある、ということに思いが至っていません。

ディテール（細部）を積み重ねていけば全体像にたどり着くはず、と学者は考えがちです。しかし、細部を調べれば調べるほど、全体は大きくなってしまうので、全体像からかえって離れてしまう、という面があるのです。

ここでも、第７章でお話ししたビッグピクチャーの重要性がわかります。大きな仮説を述べると、「そんな証拠はどこにある」「データはどこにある」といった批判が出ることがあります。大きな仮説なのだから、証拠やデータがないこともあります。また、それに反するようなデータも探せば出てくるでしょう。しかしだからといって、大きな仮説を述べることを止めるべきではありません。「だいたい、こう考えると納得するでしょう」という仮説は必要なのです。

地に足をつけよ

人間が現実から離れていく、という現象自体はインターネットの普及以前からずっとある流れです。ただしネットの出現により、「脳化社会」への流れがより先鋭的になりました。脳、つまり意識だけが肥大化し、現実から離れていってしまう。現代人が

「死」や「死体」を遠ざけてきたことについては、繰り返し書いてきました。それもこの流れの中にあります。

「死体」や「死」をできるだけ私たちは意識から落としていって、「ないこと」にしようとします。その傾向は強まっている。

もちろん、ネットにおいても「死」「死体」は存在しています。しかし、それらが占める割合は、明らかに現実社会で占めるよりも遥かに小さいはずです。

こういう流れは止めようがないのは前述の通りです。しかし、放っておけばいいかといえば、そうでもありません。気をつけたほうがいいのは、こういうことはあまり気がつかないうちに、その影響が澱《おり》のように溜まっていき、ある程度の時点で、クリティカル（重大）な転換点を迎える可能性がある。

今の人たちは、パラダイムシフト（大きな転換点）を経験していません。せいぜいバブル崩壊やリーマンショック程度です。しかし、このままの流れが進むと、なにか大きな落とし穴があるかもしれない。どうしろと指図するつもりはありませんが、最低限、個人のレベルでも注意しておいて、できることはあります。

そのためにどうするかは、すでにこの本で書いてきました。参勤交代も解決策の一つです。意識外のことを意識せよ、とも述べました。もう一つ、別の言い方をすれば、「地に足をつけなさい」ということです。

昔の大人はよく、

「現実をちゃんと見なさい」

と言ったものです。少なくとも私はよくそう言われた。

世間がきちんとしている時代ならば、世間ときちんと付き合えば、現実を見ていることになったかもしれません。しかし、今はその世間自体が怪しくなってきています。昔ほど強固なものではなくなった。

そうだとすると、人間が意識的に作らなかったものと向き合うのがいい。大げさなことをする必要はありません。

結局は、なるべく自然に接するようにするところから始めればいい。

私はあちこちで、「頭が良くなりたいならば、自然のものを一日に一〇分でいいから見るようにしなさい」と言っています。それでどうなるかと聞かれても、やはり「やればわかる」としか言えません。

第10章　自信は「自分」で育てるもの

一次産業と情報

情報をたくさん仕入れたからといって、役に立つとは限らない。そのことをわかりやすく示してくれるのが、一次産業です。いかにいろんな人から話を聞いて、情報を蓄積しても、産物がとれなければ意味がありません。「農業は保守的だ」などとよく言われますが、無意味に保守的なのではありません。うっかり「最新情報」を仕入れて、やり方を変えて、収穫がなくなれば元も子もないから、そうそう簡単に現場は変えられない。だから保守的にならざるをえないのです。

ネットで情報を仕入れても、目の前の田んぼにそれが通用するかどうかはわからない。隣の田んぼと同じやり方をやったらうまくいくかどうかもわからない。やってみなくては仕方がないのです。だから農家は簡単には動かない。ふつうにやっていれば収穫できる場合、革命的なことをやる必要がありません。また、頭の中で考えた理想論やマニュアルは現場では往々にして通用しません。

コメの苗を植えるに際して、マニュアル的にはなるべく田んぼにぎゅうぎゅうに詰めて植えることになっている。単位面積あたりの収穫量を上げるには、そうしようと考えるのが自然です。

ところが有機農法を長いことやっている人に聞くと、「それは違う」と言う。ぎゅうぎゅうではなく、七割程度に抑えたほうがいい、と。周りからは笑われることもあるそうですが、最終的にはそのほうが品質も良くて、収穫量も遜色ないと言います。

この人は経験則で、こういうやり方を導いたのです。

情報を仕入れすぎるとよくない、というのは科学論文を書いたことのある人ならば、よくわかるはずです。論文を書こうとして、関連のものを全部網羅してチェックしていたら際限がありません。しかも読むうちに、だんだん他人のものに引っ張られてしまう。すると自分のアイデアが枯渇する。私の教わった先生は、その危険性をわかったうえで、「本を読んじゃいけないよ」と教えてくれました。

先生によれば、「よくない教科書というのは、よくできすぎている教科書、説明が至れり尽くせりの教科書だ」ということでした。よくできた教科書の何が問題なのか。一見、そのほうが役に立ちそうですが、そういう教科書で学ぶと疑問が生じない。それはよくないのです。別の先生は、

「自分のやった仕事は、教科書を読んで、『ここ、わからないなあ』と思ったところを調べることだった」

と話していました。丁寧に読んで、「ここは、つじつまがあっていない」と思ったところを自分で調べると、仕事（この場合は論文）になるということです。

ものすごく利発で気が利いていて、新しい論文の情報等にも詳しい人がいました。業界の最新事情に通じている。しかし、その人は全然自分自身の論文を書けなかった。

当たり前のことで、解剖の場合でいえば、すべては目の前にある現物の体を見るところからしか始まらない。それを自分がどう見るかであって、極端にいえば、他人がどう見るかは問題ではない。ある程度、唯我独尊でいいのです。

もちろん、最低限おさえておかなくてはいけない知識というものはあります。しかし、世界中の研究者の成果を全部おさえようとしたら、それだけで時間がなくなる。別に論

文を書く必要がない人でも、なにかを調べる時にネットで検索して、出てきた情報を全部見たらたいへんなことになる、というのはすぐにわかることでしょう。つまり、自分に入ってくる情報をどこかで制限しなければ、仕事は進まないのです。

私がネットで調べるのは、どうしても必要な時だけです。ある虫の名前を最初にどの個体につけたのか、といったことです。それがわかったとしても、仕事は終わりません。ではその虫と、今手元にある虫が同じかどうか。そんなことはネットではわからない。この区別は意外とむずかしいのです。

手元にある二つの虫が同じ種類か、別の種類かということも、またむずかしい問題です。

かなりのところは共通していても、どこかは違う。じゃあ、それを種の違いとしていいかどうか、はっきりした決まりはありません。交尾器の違いで区別する、というのは一つのやり方です。しかし、ここでややこしいのは、交尾器は同じだけれど外見は全然違う、ということもあるのです。住んでいる場所が違って、見た目は違うのに交尾器は同じ。

これを種の違いにしていいかどうかが、はっきり決まっていない。この答えもどこにも書かれていません。自分の目で判断するしかないのです。

こんなことは虫に興味のない人にとっては、どうでもいい話でしょう。

でも、これは実は社会を変えるということともつながってきます。なにかを解決したいと考えるとき、同じ問題であっても地域によって解決策が違う、ということは十分あるでしょう。この村ではこういうやり方が向いているが、あっちの村には向いていない。それは土地や人間が違えば、当たり前のことです。

だから、「みんなが丸儲け」の答えがある、という考え方は怪しいのです。虫を見ていても、そのことはよくわかります。

脳は楽をしたがる

人間の脳は、つい楽をしようとします。脳が楽をする、とはどういうことか。それは現実を単純化して考えようとする、ということです。「中国人、韓国人には悪い人もいれば、ふつうの人もいるし、いい人もいる」と考えるよりも、「中国人、韓国人は悪い」と単純化したほうが楽です。

ネットやケータイのようにノイズが少ない情報は、脳にとっては楽です。だから皆がそれを好むわけです。

「楽をして何が悪いのか。それが進歩だろう」

そう思う人がいるかもしれません。たしかに、私も楽をしようとすることはあります。ただし、何事にもいい面と悪い面、表と裏があることは知っておいたほうがいい。

一日中ネットで株の取引を繰り返して、食事や日用品も配達してもらって、外出するのは最低限にして、自然とまったく暮らさない、というライフスタイルだって現代では可能です。実際に、それで大金を稼いでいる人もいることでしょう。それで人生が完結している人に対して、「問題があるから止めなさい」とは言いません。どこかヴァーチャルな生活ですが、本人が納得しているのならばいいとも言えます。

しかし、それでいえば、北朝鮮の国民の多くの人生も完結しています。戦時中の日本人も完結していました。軍や政府に反対するなんて考えられませんでした。

研究職という仕事もヴァーチャルな面があります。その意味では、ちょっとネットを一日中やっているのと似ているところがある。

私がやっていた解剖という仕事も、ヴァーチャルな面がありました。遺体を解剖することで、なにか付加価値を生み出しているわけではないからです。当時は、「こういう仕事は錯覚のようなものではないか」という疑いを持っていたものです。

「解剖なんてことをやっていて、食えるはずはないよな」と感じていました。もちろん間接的には、その作業が医者を育てることに貢献している、という理屈を立てることはできます。しかし、患者さんを診るのには直接は関係しない。

しかも、こういうヴァーチャルな仕事には危険な面があります。それは結局、楽なほうに進む可能性があるというところです。頭の中のことは解決できる。パソコンの仕事には不確定要素、ノイズがほとんどない。解決できない場合は、「解決不能」ということもすぐにわかる。

ところが自然のことは、答えが簡単にはわかりません。世間のこともそうです。しかも、わからないかどうか、わからない。

厄介だから生きている

ただ、私はなにか選択をするときに、常に「楽をしないようにしよう」と考えていた気がします。楽をするのはまずい。この場合の楽というのは、肉体を使うかどうかとか、そういう単純な問題ではありません。

そもそも理科系を目指したのは、文科系を目指すと自分が楽をしてしまう、と思ったからでした。本を読むことが子どもの頃から好きで、文献を調べるのも得意でした。しかし、得意なことにのめりこむことには抵抗があった。それをやると楽をするから、自分にとって良くない。そう思ったのです。

得意なことだけをやると、不得意な面をどこかに置き去りにしていくことになる。これはなにか具合が良くない。そんな気がしたのです。

理科系に進み、東大では医学部を選びました。その先も臨床医を目指すか、研究職に進むかという選択肢がありました。この時も、楽ではないと感じられた研究職を選びました。誤解されないように言っておきますが、臨床医が楽な仕事だ、という意味ではありません。あくまでも私にとって、という話です。

当時の私にとって臨床医のほうが楽に思えたのは、基本的に患者が「問題」を抱えてやってくるという点です。医者は、その「問題」を解く立場です。

一方で、研究職の場合は「問題」は外部からやってきません。その「問題」を自ら設定するところから始める必要があります。

これは高校までの勉強と、大学以降の勉強に似ています。高校までの勉強は、先生が出した問題を解くことが主です。しかし、大学ではそうはいきません。「何が解くべき問題なのか」を自分で考えるようになっていかなくてはならないのです。そのうえで、それを自分で解いていく。

この点が、たいへんといえばたいへん、厄介といえば厄介です。でも、それが生きているってことだろう。そう思ったのです。たいへんな道に進まないと、自分にとって良くない。

仕事は状況込みのもの

研究を始めて、一番たいへんだったのは、自分自身でモチベーションを作ることでした。「この研究は何のためか」「それはやりたいことか」「やる価値があるのか」を考えなくてはいけない。

はじめて学位論文を書くとなったときには、それで随分苦労をしたものです。締め切りが迫ってきたから、何とか一週間ほどで仕上げたものの、まだ自分自身のテーマが見つかっていない。「何のためか」「やる価値があるか」は答えられなかった。

その論文のあとに、仕事は具体的になっていって、研究は進むようになった。どうすれば論文を作成できるか、ノウハウもわかるようになり、こうすれば研究は進む、という手応えも得られるようになった。

その状況を壊したのが大学紛争でした。私が研究者になって二年目のことです。当時の学生側が問いかけてきたのは「お前は何のために研究をやっているのか」というものでした。この前まで自分で考え抜いて、答えを出してきた同じ問題が蒸し返された。やっと自分で片付けたことを、また問い直されたのです。

すでに仕事を具体的に進めていたのに、また抽象的な問いに戻された。

でも、そういう状況と向き合うことも、また無駄ではありませんでした。いかに自分が仕事をきちんと進めていても、まったく無関係なことが飛び込んでくることがある。それも考慮にいれておかなくてはいけないのだ、とわかりました。社会のこともきちんと考えないと、仕事は動かない。それが嫌というほど、わかったのです。

一見、仕事とは直接関係のないことが飛び込んできて邪魔をされてしまう。こういう時の選択肢として、そこから出て行く、という手もあります。研究職ならば、他の大学や外国に移る、というのが一番簡単な解決方法でしょう。

しかし私は、それもまた、一種の「楽」なのではないか、と感じていました。

たしかにその頃、東大にいるのは面倒でした。本来の仕事である研究とは別の厄介ごとが、常にたくさんついてまわる状況だったからです。

でも、そういう状況にある大学と向き合うことも仕事の一部だから、そこから逃げてはいけない。そう考えたのです。

その考え方は今でも間違っていない、と思っています。

状況と仕事が一体である、ということは、自然と自分が一体だという考え方にも通じます。状況も含めて仕事だ、という考え方は人によっては理解できないようです。

私自身は大学教授時代には、誰が考えてもマイナス、ということを引き受けるのが、仕事をするうえでは重要なことだと思っていました。マイナスというのは悪いこと、という意味ではありません。誰がやってもたいへんだけれども、誰かがしなくてはいけないことをやる、ということです。

「なぜ教授にもなったあなたがやらなきゃいけないのか」

そう言われることが、よくありました。言外には、「教授がそこまでやらなくていいだろう」という意味があります。

しかし、すべて込みで仕事なのです。「そこまでやらなくていい」ような状況を背負《しょ》いこむことも、また仕事です。

仕事というもの自体が、本質的に「個」をつっぱるわけにはいかないものなのです。相手がなければ仕方がない。自分だけの仕事、というものもまったくないわけではありませんが、少なくとも現代社会では、人のためにならなければお金はもらえません。それが嫌で、「完全に自分のための仕事」をしたいのならば、孤島に行ってロビンソン・クルーソーをやるしかない。そんな人生に意味がないのは誰にでもわかる話です。

人生はゴツゴツしたもの

すごく頭が良くて、組織でも上手に渡っていける、処理能力が高い。器用でするする進む。どんな組織にも、そういう人はいます。

学園紛争のようなトラブルが起きて研究がやりにくくなったら、外国に行く。そこできちんと研究を進めて、実績を上げる。それはそれで立派なことでしょう。でも、人生はもうちょっとゴツゴツしたものではないか、という気がどこかでするのです。

いろんな揉めごとを、器用に要領や才覚で切り抜ける。そういう人に、つい言いたくなるのは、そういう人生って面白くないだろうな、ということです。

そんなものは単にお前の好みじゃないか。そう言われれば、それまでです。その通りです。しかし、日本人の底流にある価値観は、そうした要領の良さを尊ぶのとは別なものなのではないか、とも思います。

そういえば昔、「東大の人はなにかゴリッとしている」と言われたことがありました。抽象的な表現だけれども、言いたいことはわかりました。今でも官僚を目指すような人の何割かは、できればそういう「ゴリッ」としたものを持っていて欲しいと思います。

効率よく答えを見つけるのではなく、自分で問いを設定する。そういう作業は苦しいといえば苦しいのかもしれません。

しかし、私はある種の苦しさ、つまり負荷があったほうが生きていることを実感できるのではないか、と考えています。それが生きているということなんだろう、と。

それを他人に押し付けるつもりはありません。これはギリギリのところで分かれる、人それぞれの価値観の問題なのでしょう。

自分の胃袋を知る

「他人のために働く」「状況を背負い込む」というと、不安に思う人もいることでしょう。そんなことをしていては、自分の人生ではなくなるのではないか。会社の犠牲、家庭の犠牲になってしまうのではないか。割を食うのではないか、報われないのではないか。たしかに、そういう危険性はあります。

ここで重要なのは、自分がどこまで飲み込むことができるのかを知っておくことです。つまり、自分の「胃袋」の強さを知っておかなくてはいけません。

この程度までなら消化できるが、これ以上になると無理だ。その大きさを意識しておくのです。

食べられればとても体にいいものであっても、胃袋がそれに耐えられなければ、かえって体調を崩してしまいます。たとえ不老長寿になれるような食べ物でも、胃袋よりも大きければ、害になります。

仕事にしても、身の丈にまったく釣り合わないような大きなものにまで手をつけると、結局は失敗してしまいます。それだけではなく、そのことがトラウマになって、人生を長い間無駄にしてしまうこともあるかもしれません。

特に若い人は、そのあたりの加減がわからないので失敗するかもしれません。だから、自分の「胃袋」の強さを知る必要があるのです。

では、それを知るためにはどうすればいいのか。やはり、絶えず挑戦をしていくしかないのです。あまりに安全策を採り続けていては、「胃袋」の本当の強さもわからないし、より強くすることもできません。

運動選手が体を鍛える際のことをイメージすればわかりやすいでしょう。あまりに筋肉に負担をかけ過ぎては体が壊れてしまいますし、楽をしすぎては成長しません。

常に他人とかかわり、状況を背負うということをしているうちに、なんとなく自分の「胃袋」の強さが見えてくるのです。

自信を育てるのは自分

目の前に問題が発生し、何らかの壁に当たってしまったときに、そこから逃げてしまうほうが、効率的に思えるかもしれません。実際に、そのときのことだけを考えれば、そのほうが「得」のようにも見えます。ところが、そうやって回避しても、結局はまたその手の問題にぶつかって、立ち往生してしまうものなのです。

大学紛争のときのことを思い出すと、それがよくわかります。あのとき、正面から問題にぶつかった人の、その後を見ると悪くないのです。いっときは、かなりの面倒やストレスを背負い込んでしまうから、損をしているように思えても、後々それが活きています。一方で、要領よく立ち回った人は、意外とうまくいっていない。

社会で起こっている問題から逃げると、同じような問題にぶつかったときに対処できないからです。「こういうときは、こうすればいい」という常識が身につかないのです。ことは社会的な問題に限りません。社会的な問題から逃げ切っても、それと似たような構造の問題を家庭内に抱えてしまうこともあります。

そのときに逃げる癖のついた人は、上手に対処ができない。だから結局は、逃げ切れないのです。

「逃げ切り」が可能になるのは、新たな問題が目の前に現れる前に死んでしまったときくらいでしょう。

また、身体的な問題、遺伝的な問題などは別として、人間関係や仕事にかかわることなどの世間の問題というのは、どこかで自分のこれまでやってきたことのツケである場合が多い。そう考えていいのではないか、と思います。

「自分は何も悪くないのに、厄介ごとが次々に襲ってくる」と本人は思っていても、周りから見れば、その人自身が厄介ごとを招いている、ということもあります。どこかで他人や社会との距離の取り方、かかわり方を間違えているのかもしれない。しかし、逃げてきた人には、そのことは見えない。

自分がどの程度のものまで飲み込むことができるのか。さまざまな人とつきあうことは、それを知るために役に立ちます。

こういうことを学ぶうえでは、時に学校教育は邪魔になります。標準を決めて試験で優劣を決めることはできても、世の中を生きていくうえでは、それ以外のことのほうが大切な場合が、ほとんどだからです。

他人とかかわり、ときには面倒を背負い込む。そういう状況を客観的に見て、楽しめるような心境になれれば相当なものでしょう。

自分がどこまでできるか、できないか。それについて迷いが生じるのは当然です。特に、若い人ならば迷うことばかりでしょう。しかし、社会で生きるというのは、そのように迷う、ということなのです。

どの程度の負担ならば「胃袋」が無事なのか、飲み込む前に明確にわかるわけではありません。その意味では、運に左右されるところもあるし、賭けになってしまう部分もあるでしょう。

なにかにぶつかり、迷い、挑戦し、失敗し、ということを繰り返すことになります。

しかし、そうやって自分で育ててきた感覚のことを、「自信」というのです。

あとがき

この本は新潮新書として出版するときの恒例（?）として、私の話を編集部の後藤裕二さんが原稿に起こしたものに手を加えました（「まえがき」と、この「あとがき」を除く）。

自分で書いてもいいわけですが、同じ話でも、一度他人の頭を通すと、わかりやすくなることがあります。自分の考えだけで書くと、いわゆる愛読者の人たちは喜んで読んでくれますが、そうでない人たちには、難しいとか話が飛ぶとか、長すぎるとか、いろいろ言われてしまいます。

だから最近は、あまり一般性がないと思う話題の本は自分で書き、少し大勢の人に読んでもらいたいときは、いわば「書いてもらう」という、二種類の本を出しています。思えば贅沢な話ですね。

言いたいことをずいぶん言ったので、当分、こういう本はつくらないでしょう。

養老　孟司

養老孟司　1937(昭和12)年神奈川県鎌倉市生まれ。62年東京大学医学部卒業後、解剖学教室に入る。95年東京大学医学部教授を退官し、現在東京大学名誉教授。著書に『唯脳論』『バカの壁』など。

Ⓢ新潮新書

576

「自分《じぶん》」の壁《かべ》

著　者　養老孟司《ようろうたけし》

2014年６月20日　発行
2014年８月20日　７刷

発行者　佐藤隆信
発行所　株式会社新潮社
〒162-8711　東京都新宿区矢来町71番地
編集部(03)3266-5430　読者係(03)3266-5111
http://www.shinchosha.co.jp

印刷所　錦明印刷株式会社
製本所　錦明印刷株式会社

ISBN978-4-10-610576-0　C0210

価格はカバーに表示してあります。